中國美術全集

畫像石畫像磚一

全國百佳圖书出版單位

APCTIME 時代出版傳媒股份有限公司
時代出版 黃 山 書 社

☆ **國家出版基金項目**

圖書在版編目（CIP）數據

中國美術全集·畫像石畫像磚/金維諾總主編；信立祥卷主編.—合肥：
黃山書社，2009.12
ISBN 978-7-5461-0808-7

I.①中… II.①金… ②信… III.①美術—作品綜合集—中國—古代
②畫像石—中國—古代—圖錄③畫像磚—中國—古代—圖錄 IV.①
J121②K978.402

中國版本圖書館CIP數據核字（2009）第179446號

中國美術全集·畫像石畫像磚

總 主 編：金維諾	卷 主 編：信立祥	責任印製：李曉明
責任編輯：宋啓發	封面設計：蠹魚閣	責任校對：李 婷

出版發行：時代出版傳媒股份有限公司(http://www.press-mart.com)

　　　　　黃山書社(http://www.hsbook.cn)

　　　　　（合肥市翡翠路1118號出版傳媒廣場7層　郵編：230071　電話：3533762）

經　　銷：新華書店

印　　刷：北京雅昌彩色印刷有限公司

開本：889×1194　1/16　　印張：49.875　　字數：147千字　　圖片：961幅
版次：2010年8月第1版　　印次：2010年8月第1次印刷
書號：ISBN 978-7-5461-0808-7　　　　　　　定價：1800圓（全三冊）

凡　例

一、編　排

1.本書所選作品範圍爲中國人創作的、反映中國文化的美術品，也收録了少量外國人創作的，在中外文化交流史上具有代表性的美術品，如唐代外來金銀器、清代傳教士郎世寧的繪畫作品等。

2.根據美術品的表現形式和質地，共分爲二十餘類，合爲卷軸畫、殿堂壁畫、墓室壁畫、石窟寺壁畫、畫像石畫像磚、年畫、岩畫版畫、竹木骨牙角雕珐琅器、石窟寺雕塑、宗教雕塑、墓葬及其他雕塑、書法、篆刻、青銅器、陶瓷器、漆器家具、玉器、金銀器玻璃器、紡織品、建築等二十卷，五十册。另有總目録一册。

3.各卷前均有綜述性的序言，使讀者對相應類别美術品的起源、發展、鼎盛和衰落過程有一個較爲全面、宏觀的瞭解。

4.作品按時代先後排列。卷軸畫、書法和篆刻卷中的署名作品，按作者生年先後排列，佚名的一律置于同時期署名作品之後。摹本所放位置隨原作時間。

5.一些作品可以歸屬不同的分類，需要根據其特點、規模等情况有所取捨和側重，一般不重複收録。如雕塑卷中不收録玉器、金銀器、瓷器。當然，青銅器、陶器中有少數作品，歷來被視爲古代雕塑中的精品（如青銅器中的象尊、陶器中的人形罐等），則酌予兼收。

6.爲便于讀者瞭解大型美術品的全貌，墓室壁畫、紡織品等類别中部分作品增加了反映全貌或局部的示意圖。

二、時間問題

7.所選美術品的時間跨度爲新石器時代至公元1911年清王朝滅亡（建築類適當下延）。

8.遼、北宋、西夏、金、南宋等幾個政權的存在時間有相互重叠的情况，排列順序依各政權建國時間的先後。

9.新疆、西藏、雲南等邊疆地區的美術品，不能確知所屬王朝的（如新疆早期石窟寺），以公元紀年表示，可以確知其所屬王朝（如麴氏高昌、回鶻高昌、南詔國、大理國、高句麗、渤海國等）的，則將其列入相應的時間段中。

10.對于存在時間很短的過渡性政權，如新莽、南明、太平天國等，其間産生的作品亦列入相應的時間段中，政權名作爲作品時間注明。

11.某些政權（如先周、蒙古汗國、後金等）建國前的本民族作品，則按時間先後置于所立國作品序列中，如蒙古汗國的美術品放在元朝。

三、圖版説明

12.文字采用規範的繁體字。

13.對所選美術作品一般祇作客觀性的介紹，不作主觀性較强的評述。

14.所介紹内容包括所屬年代、外觀尺寸、形制特徵、内容簡介、現藏地等項，出土的作品儘量注明出土地點。由于資料缺乏或難以考索，部分作品的上述各項無法全部注明，則暫付闕如，以待知者。

四、目録及附録

15.爲了方便讀者查閲，目録與索引合并排印，在每一行中依次提供頁碼、作品名稱、所屬時間、出土發現地/作者、現藏地等信息。

16.爲體現美術作品發展的時空概念，每卷附有時代年表，個別卷附有分布圖，如石窟寺分布圖、墓室壁畫分布圖等。

五、其　他

17.古代地名一般附注對應的當代地名。當代地名的録入，以中華人民共和國國務院批準的2008年底全國縣級以上行政區劃爲依據。

18.古代作者生卒年、籍貫、履歷等情况，或有不同的説法，本書擇善而從，不作考辨。

中國美術全集總目

中國古代畫像石 畫像磚概論

　　所謂畫像石，就是古代地下墓室、墓地祠堂、墓闕和廟闕等建築上雕刻畫像的建築構石。所謂畫像磚，就是用拍印或模印方法製成的圖像磚，主要用于裝飾古代的地下墓室。作爲中國古代民間藝術的一枝奇葩，畫像石、畫像磚藝術在戰國晚期至宋元時期的中國古代藝術園林中持續開放了十四、五個世紀之久。期間，朝代更迭，人事滄桑，社會面貌和意識形態都發生了巨大變化。迄今發現的數以萬計的畫像石和畫像磚，不僅真實形象地記録和反映了這一變化，而且將這兩種民間藝術的發展歷程生動地展現在我們面前。

　　一、畫像石與畫像磚的分期、分區及其産生、發展的時代背景

　　畫像石、畫像磚藝術在其存在的十四、五個世紀中，大體經歷了濫觴期、繁榮期和衰落期三個發展階段。作爲古代喪葬藝術，畫像石、畫像磚藝術是伴隨着石室墓和磚室墓的發展而演進變化的。畫像石和畫像磚在發展階段上雖説大體同步，但在發展進程上特別是地理分布上却略有差別。

　　畫像磚的産生早于畫像石，戰國晚期至西漢中期是畫像磚藝術的濫觴期。最早的畫像磚幾乎都是戰國晚期各國都城宮殿上的建築用磚，多爲體量較大的空心磚和條形磚，主要用作宮殿的臺階和踏步，其中以秦都櫟陽和咸陽出土的畫像磚最爲精美。戰國末，秦國最先開始了從木椁墓向磚室墓的演變，使用畫像空心磚來修建墓室。伴隨着秦軍統一六國的號角聲，畫像空心磚墓被秦人從關中帶到了關東地區。西漢早期，這種畫像空心磚墓在今河南地區迅速發展，并在西漢中期影響到今晋南、冀南、鄂北、皖北和魯西等周邊地區。西漢晚期到東漢末是畫像磚藝術的繁榮期。從西漢晚期起，畫像磚墓開始擺脱了呆板的箱式結構，迅速向居室化發展，畫像磚也擺脱了空心磚的舊模式，向多形化發展。東漢時期，畫像磚藝術發展到巔峰，畫像磚墓的分布範圍擴大到西至甘青，東到海濱，南起雲貴，北達大漠的廣闊區域，并形成了以今河南地區和四川、重慶地區爲代表的兩大中心分布區，其中四川、重慶地區的畫像磚持續繁榮到蜀漢時期。東漢時期的畫像磚已經揚弃了圖案化的構圖，而以有完整畫面的方形、長方形、條形的實心磚作爲主要載體。其中，以四川成都平原一帶的畫像磚最具特色，磚的規格均爲長方形，一般寬50、高40厘米左右，一磚一個畫面，圖像內容極具地方特點，整齊地按一定間距鑲嵌在磚室墓的墓室和甬道壁面上。魏晋至宋元時期，總體上是畫像磚藝術的衰落期，但其中的南

朝時期在以今南京爲中心的長江中下游地區，畫像磚藝術又出現了一個小高峰期，南京地區發現的宏規巨制的巨幅拼鑲畫像磚代表了這一時期畫像磚藝術的最高水平。隋唐以後，雖然在長江流域和黃河流域的諸多地點都發現過畫像磚墓，但始終沒有形成一個中心分布區域，畫像内容也日益趨于形式化和簡單化。元代以後，畫像磚作爲一種民間藝術形式，淡出了歷史舞臺。

　　因石結構的墓室和祠堂、闕等墓地建築的出現略晚于磚室墓，畫像石藝術的問世也相應略晚于畫像磚藝術。西漢中晚期，是畫像石藝術的濫觴期。在魯西南和蘇北地區，畫像多刻在箱式的石棺墓、石椁墓和墓地的石結構小祠堂上。在河南南陽地區，畫像石多裝飾在大型多室石結構墓中。當時石結構小祠堂的畫像雖然已有了固定的配置規律，但墓室畫像石不僅圖像簡單，而且談不上有規律的配置。東漢時期，是畫像石藝術的高峰期。這一時期，不僅各種畫像雕刻技法臻于成熟，墓室和墓闕、墓地祠堂的畫像配置都形成了各自的規律。在東漢帝國廣闊的疆域内，出現了五大畫像石分布區。第一分布區是山東、蘇北、皖北、豫東組成的廣大區域；第二分布區是以南陽市爲中心的豫南和鄂北地區；第三分布區是陝北和晋西地區；第四分布區是四川和重慶地區；第五分布區是河南省洛陽市周圍地區。各個分布區的畫像石由于雕刻技法各異，呈現出鮮明的地方特色。其中，第一和第二兩個分布區，早在西漢中期畫像石墓就已出現并開始流行，是畫像石藝術的兩大發源地，同時也是影響最大的兩個畫像石分布區。特別是第一分布區，畫像石不僅出現時間早，延續時間長，題材内容豐富，雕刻技法多樣，圖像配置規律嚴謹，而且類型齊全，墓室、祠堂、石棺、碑、闕畫像石和摩崖造像一應俱全，是畫像石藝術發展水平最高的一個區域。第三和第四兩個分布區，雖然遲至東漢早中期之交才出現畫像石，但都具有鮮明的地方特色。尤其是第四分布區，不僅廣泛流行的帶享堂的畫像崖墓和畫像石棺爲其他地區所不見，而且其繁榮期的下限也晚到了蜀漢時期。第五分布區由于地處其他四個分布區的中間，是個極爲敏感的地區，從其畫像石藝術風格的變化，可以準確把握其他各分布區畫像石藝術影響力的消長及相互之間的交流影響。南北朝到宋元時期，是畫像石藝術的衰落期，畫像石祇發現在北方的黃河流域。從總體上説，畫像石已經退出了歷史舞臺，但偶爾也有震撼人心的精品出現。特別是北朝晚期到隋唐時期高級貴族墓的石棺床上，往往刻有極其精美的畫像，近年在陝西西安出土的安伽墓和山西太原出土的虞弘墓的石棺床畫像，就是其中的典型代表。安伽和虞弘都是在北齊、隋、唐政權中擔任高級官職的西域貴族，棺床畫像不僅形象再現了他們特異的日常生活，而且忠實描繪了他們的祆教信仰，成爲研究這一時期對外關係史和宗教史、思想史的極爲珍貴的實物資料。特別是安伽墓的石棺床畫像，不僅雕刻細膩，而且通體貼金彩繪，是中國古代畫像石中的翹楚之作。河北曲陽縣出土的五代王處直墓畫像石，保存極為完好，通體彩繪如新，精緻入微的高浮雕使人物形象栩栩如生，特別是兩幅散樂圖，帶有鮮明的盛唐風格，是畫像石的收官杰作。

迄今發現的近萬塊畫像石和數千塊畫像磚，絕大多數出自墓葬和墓地建築，畫像內容也多與喪葬禮制有關，因此，畫像石藝術和畫像磚藝術在本質上是祭祀性喪葬藝術。像任何一種古代藝術形式一樣，畫像石和畫像磚的流行，有着深刻的社會原因。其原因就是古代的厚葬風俗及與之相應的喪葬禮制。

秦漢時期，伴隨着木椁墓向磚室墓和石室墓的演變，一股愈演愈烈的厚葬風潮風靡了整個社會。西漢初期，出于恢復被戰亂破壞的社會經濟的需要，從漢高祖到景帝，都大力提倡薄葬。到漢武帝時期，經過數十年的休養生息，社會經濟達到高度繁榮。在這種背景下，薄葬風俗被統治者擯弃，厚葬成為時髦的社會風尚。漢武帝率先實行厚葬，他用了五十三年時間，在今陝西興平縣，為自己建造了漢代規模最大的帝陵——茂陵。史載漢武帝入葬時，隨葬品多到墓室容納不下的程度①。此外，他還為自己的重臣、外戚和抗擊匈奴名將衛青、霍去病在茂陵東側營造了巨大的陪葬墓。死于宣帝地節二年（公元前68年）的大將軍霍光，竟特蒙皇帝恩許，用皇帝葬禮埋葬。于是上行下效，京師貴戚、地方豪强競相效尤，厚葬風靡了整個社會。與厚葬風潮涌起同時，磚室墓和石室墓取代了木椁墓，畫像石和畫像磚也應運來到了人間，這兩種民間藝術開始了最初的生命旅程。

東漢時期，厚葬之風與西漢相比，有過之而無不及。特別是東漢中期以後，東漢王朝實行了"舉孝廉"制度，將"孝悌"作為選拔、任用官吏的標準，刺激了厚葬風潮的進一步發展，厚葬達到了"法令不能禁，禮義不能止"②的程度。在瘋狂涌動的厚葬狂潮中，畫像石和畫像磚藝術迎來了自己發展的繁榮期。由于大地主莊園經濟的發展，地方豪强聚集和積累了大量社會財富，為他們實行厚葬提供了有力的經濟保障。于是，"京師貴戚，郡縣豪家，生不極養，死乃崇喪。或至刻金鏤玉，良田造塋，櫓梓楩柟，黃壤致藏，多埋珍寶、偶人、車馬，造起大冢，廣種松柏，廬舍祠堂，崇侈上僭"，"子為其父，婦為其夫，競相仿效"，"東至樂浪，西至敦煌，萬里之中，競相用之"③。在這種背景下，體現厚葬的畫像石、畫像磚藝術得到長足發展。迄今發現的一萬餘塊畫像石和數千塊畫像磚，百分之九十都是東漢時期的，這一點正是畫像石、畫像磚藝術極盛期的反映。

魏晉南北朝時期，由于長期的動蕩和分裂，社會經濟發展遲緩，畫像石和畫像磚藝術失去了作為民間藝術的存在基礎，日益走向貴族化。南朝時期，以南京為中心的長江中下游地區，雖然出現了一個以大型拼鑲畫像磚墓爲特色的畫像磚藝術發展的小高峰，但這種藝術已經變成了皇家和高級貴族專用的喪葬藝術，不再屬于民間藝術的範疇。北朝至隋唐、五代時期的黃河流域，畫像石藝術也變成了皇家和高級貴族的專用喪葬藝術，不絕如縷地裝飾在高等級的墓葬中。隋唐至宋元時期的畫像磚藝術雖仍保持着民間藝術的本色，但由于失去了最高統治階層的推動，無可挽回地走向了衰亡。元代以後，畫像石和畫像磚藝術便徹底退出了歷史舞臺。

二、畫像石和畫像磚的題材内容

作爲中國古代喪葬藝術的一對孿生兄弟，畫像石和畫像磚的題材内容是同一的，都是古代喪葬觀念的藝術表現。按照畫像石和畫像磚的本來意義即圖像學意義去理解、認識其圖像内容，是研究畫像石和畫像磚圖像的唯一科學方法。所謂畫像石和畫像磚的本來意義，是指製作和使用畫像石、畫像磚的人對其内容的理解和認識，即畫像石和畫像磚所表現的當時人的生死觀和宇宙觀。在畫像石、畫像磚存在和流行的十四、五個世紀中，儘管畫像的題材内容隨着社會意識形態和喪葬觀念的演變發生了很大變化，但始終表現的是人的生死觀和宇宙觀。秦漢時代的人認爲，全部宇宙世界由從高到低的四個層次構成。首先是天上世界，這是一個作爲宇宙最高存在的天帝和諸多自然神居住的諸神世界；其次是以西王母所居住的昆侖山所代表的仙人世界；再次是現實的人間世界；最下層是死者靈魂居住的地下幽冥世界。魏晉以後，隨着西來佛教的發展和民族化，釋迦牟尼居住的須彌山西方極樂世界在信仰中被置于人間世界和天上世界之間。作爲古代的祭祀性喪葬藝術，表現人間現實世界與地下鬼魂世界之間關係的圖像，即子孫祭祀先祖的祭祀内容圖像成爲畫像石、畫像磚的最重要的主題。但人間現實世界與天上諸神世界，特別是與仙人世界、佛家西方極樂世界的關係，在畫像石和畫像磚中也有充分表現。

像一切宗教、祭祀性藝術都有很强的穩定性和傳承性一樣，就題材内容來説，畫像石、畫像磚也是一種淵源有自、傳承性極强的藝術。它不是自由創作的藝術，而是嚴格按照當時占統治地位的儒家喪葬禮制去選擇、確定圖像内容，并按照方位配置在祠堂和墓室中的。漢代石結構祠堂的畫像石圖像來源于宗廟壁畫，因此其圖像内容及其配置自始至終保持着很强的規律性。而漢代墓室畫像石、畫像磚的圖像淵源于西漢中期以前木槨墓中的帛畫和漆棺畫，東漢時期才形成自己的配置規律。

表現墓主、祠主接受子孫祭祀的圖像是畫像石、畫像磚最常見、最重要的題材。這種題材多用兩種内容的畫像來表現。一種是直接表現祭祀場面的畫像，常被稱爲"墓主受祭圖"和"祠主受祭圖"。其標準畫面是：在一座由雙闕夾峙的二層樓閣中，男性祠主或墓主正坐在樓閣下層，接受子孫的拜謁和祭祀，樓閣二層憑欄端坐着複數的女性祠主或墓主。在墓地祠堂中，"祠主受祭圖"均配置在後壁。在墓室中，"墓主受祭圖"多配置在中室、前室的壁面較高位置或門扉上。另一種是表現墓主、祠主從地下世界趕赴墓地祠堂去接受祭祀的車馬出行圖。在祠堂中，這種"祠主車馬出行圖"固定地配置在後壁和左右側壁的最下層，祠主乘坐的主車恰好位于"祠主受祭圖"的下方，表示祠主的車馬行列是從位置較低的地下世界而來。在墓室中，"墓主受祭圖"多配置在中室、前室的四壁橫梁等壁面較高位置或墓門門額上，以表示墓主的車馬行列的出行目的地是位置較高的墓地祠堂。這兩種圖像，往往合成一幅完整的祭祀畫面，例如在沂南畫像石墓中室的北壁橫梁西段、西壁橫梁和南壁橫梁西段，就配置着一幅墓主趕赴墓地祠堂的車馬出行圖，墓主的主車位于男墓主棺室——西後室的橫梁上，祠堂位于車馬行列的最前方——南壁橫梁的西段。在相當多的墓主或祠主車馬出行圖中，都有車馬過河橋的場面，河橋無疑標志着地下鬼魂世界和人間現實世界的分界綫。這兩種表現祭祀的圖像，是墓室和祠堂全部畫像的核心，其他圖像都是圍繞着這一核心而配置的。在地下墓室的中、前室和祠堂的側壁常見的"庖厨圖"和"樂舞百戲圖"，也是與祭祀有關的圖像，表現的是子孫準備"祭食"和用歌舞百戲取悅祖先靈魂的場面。

表現人間現實世界的圖像主要有兩種，一種是歷史故事畫像，另一種是表現墓主、祠主生前經歷的畫像。像墓碑和祭文充滿對死者的諛辭一樣，畫像石和畫像磚中充斥着虛譽溢美墓主、祠主的圖像。這類圖像，用比附的手段，以大量的歷史故事來表現。史載東漢末年的趙岐曾"先自爲壽藏，圖季札、子産、晏嬰、叔向四像居賓位，又自畫其像居主位，皆爲贊頌"④，可見這種比附自誇的造墓作法當時相當盛行。故事多取材于體現儒家倫理道德的古代忠臣、孝子、俠客、義士、節婦、列女等，最常見的有"二桃殺三士"、"荆軻刺秦王"、"榮啓期與竹林七賢"、"二十四孝圖"等。這類歷史故事畫像，多配置在祠堂兩側壁的中部和地下墓室中、前室的壁面上，但個別祠堂如山東嘉祥武梁祠的後壁也配置有多幅歷史故事圖像。表現墓主、祠主生前經歷的圖像，有的選取值得炫耀的生前經歷的場所爲題材，如講經圖和幕府圖等，但更多的是用多幅車馬出行圖來表現墓主、祠主的生前官宦經歷，前者一般配置在地下墓室中、前室的壁面上，後者多配置在祠堂後壁、兩側壁的較高位置和與之平行的檐枋內面。

古代人相信"靈魂不死"，認爲人死後，他的靈魂在地下世界仍然過着人間一樣的生活。在墓室畫像石和畫像磚中，有不少表現墓主地下世界生活的圖像。配置在墓門門柱上的持盾亭長圖像、持戟佩劍武士圖像警衛着墓主陰宅，保護着墓主靈魂在地下世界的安寧；配置在中、前室的宴飲圖、博弈圖和配置在後室的墓主夫婦燕居圖，表明墓主靈魂在地下世界仍然像生前一樣，過着錦衣玉食的優裕生活；而配置在墓室壁面和甬道中的市樓圖、鹽井圖、采蓮圖、農作圖和釀酒圖等，表明墓主靈魂仍像生前一樣，在地下世界擁有大量財產。一句話，畫像石和畫像磚所描繪的墓主的地下世界，完全成了現實人間世界的翻版。

　　擺脱生死困惑，獲得永恒生命，在古代是人們至死不渝的追求目標。這種追求，一般訴諸宗教的信仰。秦漢時期方士、神仙家和道教鼓吹的"升仙"觀念，魏晉以後佛教的死後往生西方極樂世界的説教，不僅影響到社會意識形態，也對人們的生死觀、喪葬觀產生了持久而强烈的影響。畫像石、畫像磚中經常出現的"西王母"、"東王公"、"仙人六博"、"墓主雲車升仙"、"天人"、"蓮花生"等圖像，就是這種影響的反映。在先秦傳説中，西王母本來是一位"其狀如人，豹齒虎尾而善嘯，蓬髮戴勝，是司天之厲及五殘"⑤，在昆侖山上穴居野處、半人半獸、形象可怕的刑罰女神，但在西漢晚期的大規模群衆性造仙運動中，她被改造成了可愛的幸福女仙。最遲到東漢中期，與之相對應的男性仙人"東王公"也被創造出來。從西漢晚期起，西王母形象就大量出現在畫像石和畫像磚中，東漢中期以後，西王母和東王公圖像常常按方位對稱地出現在墓室和祠堂畫像中。爲了表示東王公和西王母住在高高的仙山上，他們的圖像都被配置在較高的位置上。在石結構祠堂中，他們被固定地配置在兩側壁的最上層，西王母居西，東王公居東。在墓室中，二者圖像一般被配置在門柱或立柱的最上方。需要指出的是，東漢晚期的畫像石和畫像磚中，佛像、菩薩像也配置在與東王公、西王母等仙人像同樣的位置上，證明了當時佛教是作爲道教的一個流派在中土流傳的。例如，在沂南畫像石墓中室的八角形立柱的東、西、南、北側面最上部，各配置一尊仙人像，東、西側面分別配置東王公和西王母像，南、北側面各配置一尊菩薩像。製作工匠們在塑造東王公和西王母兩位仙人形象時，馳騁他們的藝術想象，將衆多的美好事物集中到他們的身上。在畫面上，兩位仙人不僅有羽人兩側侍奉，就連三足烏、九尾狐也被賦予了靈性，成了仙人可愛的伴侶和使者。人們夢寐以求的不死之藥，正由伶俐可愛的玉兔和憨態可掬的蟾蜍不停地搗製着，以供東王公、西王母隨時賜給有幸升仙到這裏的幸運兒。南朝畫像磚中的"天人"圖像中，天女曼妙的身姿，飄逸的衣帶，使人充滿了對西方極樂世界的憧憬與渴望。最富浪漫主義色彩的是配置在祠堂和墓室較高位置的墓主或祠主升仙圖，幸運的墓主和祠主，或乘御龍雲車，或乘仙鹿，正由仙人接引，飄飛在赴昆侖山的仙雲中。在東漢晚期的山東嘉祥武氏祠左石室屋頂前坡東段，刻有一幅情趣盎然的祠主升仙圖。畫面的右下方是祠主的墓地，墓闕旁有三座饅頭形墳丘，從最高的一座墳丘中一股仙雲冉冉升起，彌漫了整個畫面；雲氣上方，端坐着趕來迎接祠主升仙的東王公和西王母；雲氣中，男女祠主分乘兩輛雲車，在仙人的護衛下駛向東王公和西王母。整個畫面充滿歡樂而神秘的氣氛，人們對自己所創造的幸福之仙的憧憬和不懈追求在藝術幻想中得到完美實現。在四川、重慶等地東漢晚期的墓室畫像石和畫像磚上，有一種男女交合的圖像，表現的應是五斗米教教徒企求通過男女和合修煉升仙的場面，墓主生前無疑是五斗米教的信徒。

在石結構的墓室中、前室頂部和祠堂頂部，多配置表現天上諸神世界的圖像。這類圖像，一般有三種表現形式。一種是簡單地用腹輪內有三足烏的日神圖、腹輪內有蟾蜍的月神圖，或用星相圖來表現。在磚石混合結構的墓中，例如在陝北東漢時期的畫像石墓中，日月圖像多配置在門額石畫面的兩端。第二種是用祥瑞圖來表現，例如，在著名的山東嘉祥武梁祠的頂石內面，就刻有比目魚、連理樹等四十餘幅祥瑞圖，每幅祥瑞圖都刻有解釋性的題榜。將祥瑞圖刻在祠堂頂部，無疑是表示天降祥瑞，説明天界的上帝和諸神在當時人們的觀念中具有至高無上的權威。換言之，作爲宇宙最高存在的上帝和諸神，祇有對人間社會的現狀感到滿意時，才會降下祥瑞，而上帝和諸神對人間社會的評判標準則是儒家的政治信條和倫理道德規範。到東漢晚期，最流行的天上世界的表現方式，是充滿陰森恐怖氣氛的人格化的上帝諸神圖像。在江蘇徐州洪樓村出土石祠堂的兩塊頂石上，各刻有一幅諸神出行圖。圖像中，出行的主神雷公熊首人身，坐在由龍虎牽引的的雲車上，正揮動鼓槌敲擊着車上樹立的大鼓，隨行的有鼓風的風神——風伯、傾瓶布雨的雨神——雨師、揮鞭製造閃電的閃電之神——電母，整個畫面氣氛詭異而恐怖。在山東安丘董家莊畫像石墓的前室頂部，也配置着一幅類似的雷公出行圖。這些畫像中的諸神雖然猙獰可怕，但還不是宇宙秩序的最高和終極統治者，它們不過是宇宙秩序最高和終極統治者——天帝的一群唯命是從的僚屬和爪牙。在山東嘉祥武氏祠前石室即武榮祠的西間頂部前坡所刻的天罰圖中，就出現了天帝的形象。整個天罰圖由四層畫面組成，完整地表現了天罰過程。第四層圖像的主要人物，就是這位全知全能、法力無邊、對現實人間世界的一切握有生殺與奪絕對權力的天帝。畫面左側，威風凛凛的天帝面右坐在由北斗七星組成的帝車⑥上，正在聽取派往人間使者的報告。帝車後面，三名神人雙手持笏在雲氣中躬身而立，當爲天帝的屬從。帝車車輿前的弧形車轅下，四位神人或跪或立，正向天帝報告着什麼。其身前的地面上，扔着一顆頭髮散亂的人頭。畫面右側，一騎一車正向左行來。無疑，使者報告的人間罪惡激怒了天帝，他怒目圓睜，咬牙切齒，雙手前伸，似正下達對人間罪犯實行天罰的指令。第三層爲風伯鼓風圖，畫面左端，腰身碩壯的風伯正從口中向右吹出滾滾風雲，似乎是在用神風送諸神出行。第二層描繪的是天罰場面，畫面左側，雷公坐在雲車之上，正用鼓槌敲擊着雲車前後樹立的大鼓，雲車之前，六名神人分成上下兩列，用繩索拉着雲車向右飛馳，雲車之後，兩名神人在推車前行。畫面右側，雲氣中立着兩名雙手揮鞭的電母和一名右手抱瓶、左手托鉢的雨師，在一股龍首狀雲氣下面，一個人間罪人正披頭散髮跪在地上，兩名神人俯首彎腰立在雲氣上，正右手揮槌，左手緊握楔狀物向跪伏者打去。無疑，這是一幅描繪雷公率領諸神用雷電擊殺下界罪人的天罰圖。第一層畫面描繪的是風伯鼓風送諸神回歸天界的場面。

從上面的論述可以看出，當時的人們在用畫像石、畫像磚裝飾墓室和祠堂時，有意識地將墓室和祠堂看成是一個完整的宇宙空間，將表現宇宙四個構成部分的圖像內容，按高低、前後方位，井然有序地配置在相應位置上。這些嚴格按方位和儒家道德規範配置的畫像，生動形象地反映了當時人們的生死觀和宇宙觀。墓主靈魂在地下世界儘管舒適惬意，却依然向往懷戀着人間世界的一切，仍然要回到建造在塵世間的祠堂中來，享用子孫後代精神的和物質的獻祭。通過祭祀類圖像，人鬼之間思想的交流、倫理感情的融匯，得到了實現和升華。但地下鬼魂世界畢竟是陰冷晦暗和寂寞難耐的，死者靈魂希望通過信仰獲得生命的永恒和升華。但這一願望，他們無法向天上世界的諸神訴求。在人們的觀念中，以天帝爲首的人格化的諸神，占據着高高的蒼穹，永遠用一幅冷漠嚴酷的面孔統治着整個宇宙。他們從不開誠布公地對人間世界表態，祇用災異給予暗示；他們能降祥瑞於人間，而更多的是將災禍刑殺無情地加給下民。在上天面前，人永遠是被動的，祇能誠惶誠恐地跪倒在地，以一副可憐的面孔祈求它的恩宥。這個森嚴恐怖、可望而不可及的諸神世界，不僅活人不敢問津，連鬼魂都不敢游歷。現實既充滿着苦難，登天又却步於畏懼，爲了滿足對永恒幸福和生命的向往，人們通過信仰找到了或者説創造了仙人世界和西方極樂世界。死者的靈魂在藝術幻想中飛升到了昆侖仙境，但在感情上并没有走，仍要時時回到祠堂去重溫和延續人間的一切快樂。這種幻想和感情的矛盾，正是畫像石、畫像磚藝術的思想基礎。這些充滿矛盾的藝術作品，形象地反映人與鬼魂、神、仙之間撲朔迷離的奇妙關係。

三、畫像石、畫像磚的製作工藝及藝術成就

畫像石屬於石刻藝術，畫像磚屬於雕塑藝術，儘管兩者都屬於古代祭祀性喪葬藝術，但在製作工藝上兩者却各具特點。

山東東阿縣發現的薌他君祠堂題記⑦、山東嘉祥的從事武梁碑碑文⑧和許安國祠堂蓋頂石題記⑨中，對畫像石的製作工藝都有簡單記述。通過這些記述和對畫像石實物的觀察，大體可以知道，古代畫像石的製作，主要有七道工序。

第一道工序，是由喪主雇請"名工"、"良匠"即雕造畫像石技術最好的工匠，讓他們擔當畫像石墓、畫像石祠堂的設計和建造任務。這些工匠，有石工，也有畫匠，基本都是同鄉，其中一些人可能有親屬關係。這種同鄉關係和親屬關係，既有利于技術的傳承和提高，也有利于集中力量承擔較大的工程，保持工匠隊伍的穩定性，形成地域範圍較爲固定的工程覆蓋面。

第二道工序，是由雇請的畫像石製作工匠，到附近的山上挑選、開采適合雕刻的石料。

第三道工序，是由石匠根據設計圖對選采來的石料進行加工，使石料變成符合設計要求的建築石材。

第四道工序，由被稱爲"畫師"的畫工在磨製平整的石面上，用墨和毛筆以準確有力的綫條繪出畫像的底稿。對于畫像石的製作來説，這是一道關係作品成敗優劣的關鍵性工序。畫師們不僅要有高超的繪畫技巧，還必須對建造的建築本身的結構了如指掌，對每塊石材是建築上哪個部位的構件，應畫什麼題材内容的圖像，做到心中有數，一清二楚。

第五道工序，由石工嚴格按照畫師在石面上繪出的圖像墨綫底稿，用刀、鑿、鏨等工具刻成圖像。

第六道工序，按照建築設計圖，將已經刻好圖像的石材拼裝成墓室或祠堂。

第七道工序，由畫師在拼裝好的墓室或祠堂中對石面上刻好的畫像施彩着色，使圖像具有和墓室、祠堂壁畫同樣的色彩視覺效果。正因爲如此，漢代人不把它稱爲"雕刻"或"石刻"，而是直接稱爲"畫"⑩。但因畫像石的圖像具有凹凸的立體感，當初應比壁畫具有更强烈的視覺效果。由于畫像石的石材質地堅硬細膩，對礦物質顏料沒有吸附作用，其色彩極易脱落，色彩能保存至今的實屬偶然。因大多數畫像石在發現時色彩都已脱落殆盡，將其作爲繪畫藝術來進行考察已經不可能，我們能加以考察的，祇有其雕刻藝術的表現形式了。

無疑，畫像石的雕刻技法是決定畫像石風格的最主要因素。根據筆者對近萬塊畫像石的實物觀察，畫像石的雕刻技法可分爲六種。第一種爲陰綫刻，即直接在石面上刻出圖像，畫像表面沒有凹凸。根據對石面的處理方法不同，又可區別爲平面陰綫刻和鑿紋地陰綫刻兩種。第二種爲凹面綫刻，就是在石面上沿物像的輪廓綫將物像面削低，使物像面呈略低于石面的凹面，物像細部以陰綫來表現的雕刻方法。這種技法，也可區別爲平面凹面綫刻和鑿紋地凹面綫刻兩種。第三種爲凸面綫刻，即在磨平的石面上，將物像以外的石面削低，使物像呈平面凸起，物像細部再用陰綫加以表現的雕刻技法。這種技法，可區別爲鑿紋減地凸面綫刻、鏟地凸面綫刻和鏟地凸面刻三種，其中鏟地凸面刻是物像細部不用陰綫，而是由畫工直接用墨綫繪出的技法。第四種是淺浮雕，這是一種物像弧面浮起較低，物像細部用陰綫來表現的雕刻技法，可區別爲平面淺浮雕和鑿紋地淺浮雕兩種。第五種爲高浮雕，這是一種鏟地較深，物像浮起很高，物像細部也用不同凹凸來表現立體效果的雕刻技法。第六種爲透雕，這是一種在高浮雕的基礎上，進一步將物像的某些部位鏤空，使物像接近于圓雕的雕刻技法。這六種雕刻技法，前三種屬于以刀代筆的"擬繪畫"類技法，後三種屬于意在表現立體感的"擬雕刻"類技法⑪。這六種技法，漢代就已經全部出現并得到長足發展。當時由于一些畫像石工匠集團擅長某種技法，在其工程覆蓋面內，便出現了藝術風格一致的畫像石作品群。例如，陝西和晋西地區的畫像石，所用技法幾乎都是鏟地凸面刻，使其拓片具有强烈的剪影效果。而山東濟寧地區東漢晚期的畫像石，幾乎都是用鑿紋減地凸面綫刻的技法刻成的，雕刻精緻，圖像華麗，銘刻題記較多，歷來爲金石學家所青睞，以致著名的嘉祥武氏祠被學者譽爲"漢畫像石之王"⑫。漢代以後的畫像石，主要繼承了漢代的平面陰綫刻和淺浮雕技法。唐代一些皇族墓葬石棺床上用平面陰綫刻技法雕刻的人物像，綫條之剛勁流暢，身姿之挺秀俊美，達到了爐火純青的程度，其墨稿顯然出自宮廷御用畫師。更多的畫像石是使用淺浮雕技法刻成的，由于受到了犍陀羅藝術的影響，這些作品具有了更强的立體效果。

與畫像石不同，畫像磚在本質上屬于雕塑藝術，雖然戰國晚期的一些空心畫像磚是用硬筆直接在半乾的磚坯上刻劃陰綫圖像的，但西漢以後的畫像磚都是用模塑的方法製成的。畫像磚的模塑方法，大體可分爲"拍印法"和"模印法"兩大類。

西漢時期的空心畫像磚大多使用拍印法製成。其製作工藝大體有刻製模板、脫製磚坯、拍印圖像、燒製成磚和施彩設色五道工序。第一步是製作模板。由于空心磚體量較大，磚面上需要配置不同內容的圖像，製模工匠先在事先準備好的方形或長方形木板上用墨綫勾畫出所需圖像的輪廓綫，然後用雕刀刻成陰綫或凹入雕的圖像模板。模板一般面積較小，但西漢晚期也出現了一個磚面祇印一幅圖像的大型模板。第二步是脫製空心磚坯，并將其陰晾至半乾。第三步是手持模板，在半乾的空心磚坯上拍印或按印出圖像。同一個磚面上往往用多種不同規格、不同內容的模板印出複雜的圖像組合。同一磚面的四邊多用長條形模板印出裝飾紋樣邊框，邊框內配置不同內容的圖像。同一塊模板往往在同一磚面上反復使用，造成同一圖像的多次出現。第四步，待印好圖像的磚坯完全陰乾後，入窑燒製成磚。第五步，是給燒好的畫像磚施彩設色。

　　模印法是東漢以後畫像磚最流行的製作方法。其製作工藝有製作圖像坯模、脫製畫像磚坯、燒製成磚和施彩設色四道工序。製作坯模時，先在一塊與所製磚大小一樣的方形或長方形木板上勾勒出墨綫畫稿，用雕刀刻成模板，然後在四周加上木質邊框，就製成了坯模。利用圖像坯模像脫製普通磚一樣的方法，就可製成有圖像的畫像磚坯了。待磚坯陰乾後，經過入窑燒製和施彩設色，就製成了精美的畫像磚。與拍印法相比，模印法省去了拍印圖像這道工序，而且畫面内容單純而突出，無疑是畫像磚製作工藝上的一大進步。

　　模印法的流行，并沒有將拍印法擠出歷史舞臺，南朝時期，拍印法被發展到了登峰造極的程度，製成了由巨量畫像磚拼鑲組合而成的、幅面巨大的墓室磚畫像。無疑，這種畫像磚的製作，需要高超複雜的技術，加上圖像不是印在磚的正面，而是印在磚的側面和端面，這就更增加了製作的難度。因此，事前必須經過精心的設計和計算。製作模板是最複雜精細的一道工序。先要準備好一塊與畫幅面積大小一樣的木板，由熟練畫工在上面勾勒出圖像的墨綫稿，再由雕刻木工刻成巨幅模板，然後將模板分割成與墓磚側面和端面大小相等的小模板，最後依次用小模板在半乾的磚坯側面、端面按印出圖像。這樣，整幅圖像就被分配到巨量的磚坯上。要將燒製好的圖像墓磚拼合成完整畫像，在砌築墓室時必須在設計人員的監督下，嚴格按照設計圖紙和墓磚編號精心施工。毫無疑問，製作這種拼鑲式墓室畫像磚，必須有一個組織嚴密，由具有很高技術水平的畫工、雕刻木工、磚瓦工組成的專業工匠集團。這一集團，有可能是直屬于皇家或朝廷的。

　　需要指出的是，在近代西方的雕塑藝術傳入中國以前，中國從未出現過以人體解剖爲基礎的希臘、羅馬式的人物雕塑作品，儘管畫像石藝術在魏晉以後曾受到犍陀羅藝術的影響，但也遠沒有達到希臘、羅馬的水平。同中國傳統繪畫一樣，綫條的使用是畫像石和畫像磚藝術的靈魂。“擬繪畫”式畫像石和陽綫畫像磚基本用綫條構圖，自不必説，浮雕類畫像石、畫像磚也與希臘、羅馬雕刻大异其趣，注重的不是質感和表情，而是輪廓綫勾勒出的場景語言和形體語言，質感祇起着輔助的甚至是誇張的作用。任何藝術都是時代的產物，反映着當時的時代精神和審美觀念。通過綫條運用的變化，各時期的畫像石、畫像磚呈現出不同的藝術特色。

　　漢代是中國歷史上最輝煌燦爛的時代，是一個英雄輩出、充滿進取精神的時代。這一時期的畫像石和畫像磚，綫條剛勁沉穩，構圖不求形似，但求神似，不拘細節，大刀闊斧，具有一種後世雕塑無法企及的古樸渾厚、深沉雄大的氣勢。無論是奔馳的車馬還是嬉戲的神獸，都有一種灼人的速度感和力量感。這種藝術創作，從本質上說，絕不是一種孤立的個人行爲，而是整個民族和社會精神的藝術體現。漢代畫像石和畫像磚的雄大氣魄，不僅與其粗獷豪邁的雕塑技法有着直接關係，而且還在於它們的表現主題直接吸收了整個民族積纍起來的豐富而深厚的神話傳統。將個人的生死放到宇宙世界的永恒變化中去表現，本身就是一個偉大的藝術命題。用遠古神話去描繪人間生死，使畫像石、畫像磚不僅具有一種撲朔迷離的神秘魅力，而且充溢着一股粗野古拙的力量。偏安江南一隅的東晋南朝時期，是一個文人情調張揚，進取精神閹割，世無英雄的孱弱時代。這一時期的大型拼鑲畫像磚墓雖然將畫像磚的製作技術發展到巔峰，但圖像柔媚纖細的綫條、清秀瀟灑的人物坐像使畫像磚完全失去了力量和動感，就連表現墓主出行的騎從鼓吹也失去了虎虎生氣，顯得雍容有餘而粗獷不足，蘊含着文人畫的柔媚之氣。而在少數民族政權控制下的十六國和北朝，畫像石和畫像磚寥若晨星，即使有名的北魏時期的甯懋石室畫像石，也因畫面布局繁縟而顯得氣韵不足。隋唐以後，隨着祭祀性喪葬藝術的衰落，走向凋零的畫像磚雖然在細部的刻劃上更加細膩，但已失去了祭祀性藝術應有的凝重感和神聖感，越來越像小説的插圖畫了；而畫像石却走向貴族化之路，虞弘墓和安伽墓的棺床畫像石、王處直墓墓室畫像石，雕刻彩繪雖精美絕倫，但前者重在表現异域風情，後者的主要圖像粉本來自前代宮廷畫師繪製的宮廷散樂圖，已經與社會和民族的時代精神風馬牛不相及了。

在藝術思想上，中國古代畫像石和畫像磚特別是其繁榮期的作品，可以説是古典現實主義與浪漫主義完美結合的杰作。一方面，它們作爲祭祀性喪葬藝術，必須正視和尊重社會禮制和習俗，把當時祭祀父祖的場面加以提煉，儘可能準確、真實而又細緻鋪張地描繪出來；另一方面，它們又熱情澎湃地力圖抒發生命戰勝死亡的渴望。這種理想與現實的矛盾，正是畫像石、畫像磚創作的思想基礎。那些名不見經傳的製作工匠們，不僅沒有迴避這種矛盾，反而用宗教幻想中的仙境和西方極樂世界極力加以渲染。作爲當時的喪葬藝術，畫像石和畫像磚表現的主題是生者祭祀、悼念死者的永恒悲劇題材。但畫像石和畫像磚并沒有將死亡描繪得凄凄慘慘、悲悲切切，而是充滿了對生命的樂觀與渴望。在他們創作的作品中，死亡不再是令人涕泪橫流的與親人的永訣，而是生命向更高境界的飛躍，是死者擺脱塵世苦難、取得升仙資格的必經過程，是一種值得歡呼雀躍的解脱。死後的地下世界，也不是一個不見天日、與世隔絕的牢獄，而是升仙前的靈魂暫憩之所。這裏，看不到對死亡的恐懼，却有對未來幸福的熱烈憧憬。人對永生和幸福的向往，在藝術創作中得到實現和升華。人們擯弃了對冰冷嚴酷的天帝諸神與塵世大小統治者的祈禱哀告，熱情而大膽地奔向自己創造的仙境去了。應該説，仙境圖和升仙圖，是中國古代民間藝術浪漫主義思想閃電幻化出的一束最絢麗的光彩。這一題材被采擷到畫像石和畫像磚中以後，極大地提高了畫像石和畫像磚的藝術魅力，成爲其中最富人性、最具情趣的浪漫主義作品。

　　作爲古代民間藝術，畫像石和畫像磚爲中國藝術的發展作出了特有的貢獻。畫像石和畫像磚對綫條的把握與運用爲中國繪畫積纍了經驗，主要由它們創立和發展起來的上遠下近散點透視構圖法和填白原則，爲後世的中國畫和壁畫所繼承，成爲中國畫的標準構圖模式。當然，二者對宋代以後中國磚雕藝術的出現與發展也產生了積極的影響。在中國美術史上，畫像石和畫像磚將作爲一枝民間藝術奇葩而永放异彩。

信立祥

注釋：

① 劉慶柱、李毓芳：《西漢十一陵》45－47頁，陝西人民出版社，1987年。

② 《後漢書·光武帝紀》。

③ 王符：《潛夫論》。

④ 《後漢書·趙岐傳》。

⑤ 《山海經·西山經》。

⑥ 《史記·天官書》："斗爲帝車。"

⑦ 羅福頤：《薌他君石祠堂題字解釋》，《故宮博物院院刊》總二號，1960年。

⑧ （宋）洪适：《隸釋》卷六《從事武梁碑》。

⑨ 濟寧地區文物組、嘉祥縣文管所：《山東嘉祥宋山1980年出土的漢畫像石》，《文物》1982年第5期。

⑩ 山東省博物館、蒼山縣文化館：《山東蒼山元嘉元年畫像石墓》，《考古》1972年第2期。該墓的長篇刻銘中有"畫觀後當"、"其中畫，像家親"等，證明當時是把畫像石直接稱爲"畫"的。

⑪ 滕固：《南陽漢畫像石刻之歷史的及風格的考察》，《張菊生先生七十生日紀念論文集》，商務印書館，1937年。

⑫ 長廣敏雄：《南陽の畫像石》，京都大學人文科學研究所研究報告，1974年。

目　録

畫　像　石

西漢新（公元前二〇六年至公元二五年）

頁碼	名稱	時代	發現地	收藏地
27	神怪 老虎畫像石	西漢	山東兗州市農機學校	山東省兗州市博物館
28	雙闕 出行 廳堂畫像石	西漢	山東兗州市農機學校	山東省兗州市博物館
28	鬥獸 擊鼓畫像石	西漢	山東兗州市農機學校	山東省兗州市博物館
30	出行 牛耕畫像石	西漢	山東金鄉縣香城塢堆	山東省石刻藝術博物館
30	武士對練畫像石	西漢	山東金鄉縣香城塢堆	山東省石刻藝術博物館
32	程嬰 趙盾故事畫像石	西漢	河南南陽市臥龍區楊官寺墓	河南省南陽漢畫館
32	日神 月神畫像石	西漢	河南唐河縣湖陽	河南省南陽漢畫館
33	拔劍武士畫像石	西漢	河南唐河縣針織廠	河南省南陽漢畫館
33	武庫畫像石	西漢	河南唐河縣針織廠	河南省南陽漢畫館
34	戲虎畫像石	西漢	河南唐河縣針織廠	河南省南陽漢畫館
34	車騎出行畫像石	西漢	河南唐河縣針織廠	河南省南陽漢畫館
35	白虎 三足烏畫像石	西漢	河南唐河縣針織廠	河南省南陽漢畫館
35	荊軻故事畫像石	西漢	河南唐河縣針織廠	河南省南陽漢畫館
36	虎食鬼魅畫像石	西漢	河南唐河縣針織廠	河南省南陽漢畫館
38	聶政故事畫像石	西漢	河南唐河縣針織廠	河南省南陽漢畫館
38	車騎出行畫像石	西漢	河南唐河縣針織廠	河南省南陽漢畫館
39	畋獵畫像石	西漢	河南唐河縣針織廠	河南省南陽漢畫館
40	聶政故事畫像石	西漢	河南唐河縣針織廠	河南省南陽漢畫館
40	高祖斬蛇畫像石	西漢	河南唐河縣針織廠	河南省南陽漢畫館
41	晏子見齊景公畫像石	西漢	河南唐河縣針織廠	河南省南陽漢畫館
41	人 獸 神仙畫像石	西漢	河南唐河縣針織廠	河南省南陽漢畫館
42	樓閣 人物畫像石	西漢	河南唐河縣針織廠	河南省南陽漢畫館
42	河伯出行畫像石	西漢	河南唐河縣針織廠	河南省南陽漢畫館
43	舞樂宴饗畫像石	西漢	河南唐河縣針織廠	河南省南陽漢畫館
43	虎食女魃畫像石	西漢	河南唐河縣針織廠	河南省南陽漢畫館
44	車騎出行畫像石	西漢	河南唐河縣電廠	河南省南陽漢畫館
44	觀賞樂舞畫像石	西漢	河南唐河縣電廠	河南省南陽漢畫館
46	獵虎 交尾龍畫像石	西漢	河南唐河縣電廠	河南省南陽漢畫館
46	導騎出行畫像石	西漢	河南唐河縣電廠	河南省南陽漢畫館
46	蹶張 熊畫像石	新	河南唐河縣新店郁平大尹馮君孺人墓	河南省南陽漢畫館
47	擊鼓畫像石	新	河南唐河縣新店郁平大尹馮君孺人墓	河南省南陽漢畫館
48	拜謁畫像石	新	河南唐河縣新店郁平大尹馮君孺人墓	河南省南陽漢畫館
48	拜謁畫像石	新	河南唐河縣新店郁平大尹馮君孺人墓	河南省南陽漢畫館
49	舞樂百戲畫像石	新	河南唐河縣新店郁平大尹馮君孺人墓	河南省南陽漢畫館

東漢（公元二五年至公元二二〇年）

頁碼	名稱	時代	發現地	收藏地
156	仙禽神獸畫像石	東漢	山東滕州市劉堌堆村	山東省滕州市博物館
156	戰事 車騎畫像石	東漢	山東滕州市萬莊	山東省石刻藝術博物館
157	胡漢交戰畫像石	東漢	山東滕州市桑村鎮西戶口村	山東省滕州市博物館
158	西王母 講經 車騎畫像石	東漢	山東滕州市桑村鎮西戶口村	山東省滕州市博物館
159	西王母 百戲畫像石	東漢	山東滕州市桑村鎮西戶口村	山東省石刻藝術博物館
160	人物 鳥獸畫像石	東漢	山東滕州市桑村鎮西戶口村	山東省滕州市博物館
160	日 月 星相畫像石	東漢	山東滕州市官橋鎮大康留莊	山東省滕州市博物館
161	翼龍 駱駝 大象畫像石	東漢	山東微山縣兩城鎮	山東省曲阜市孔廟
161	建鼓 雜技畫像石	東漢	山東微山縣兩城鎮	山東省曲阜市孔廟
162	水榭人物畫像石	東漢	山東微山縣兩城鎮	山東省曲阜市孔廟
163	奔鹿 水榭人物畫像石	東漢	山東微山縣兩城鎮	山東省曲阜市孔廟
164	异獸 人物 連理樹畫像石	東漢	山東微山縣兩城鎮	山東省曲阜市孔廟
165	西王母 伏羲 女媧畫像石	東漢	山東微山縣兩城鎮	山東省微山縣文化館
166	戲猿 熊 虎畫像石	東漢	山東微山縣兩城鎮	山東省曲阜市孔廟
166	狩獵 車騎畫像石	東漢	山東微山縣兩城鎮	山東省曲阜市孔廟
168	廳堂 人物 建鼓畫像石	東漢	山東微山縣兩城鎮	山東省微山縣文化館
170	胡漢交戰畫像石	東漢	山東沂南縣北寨村	山東省沂南漢墓博物館
171	奇禽 异獸 神怪畫像石	東漢	山東沂南縣北寨村	山東省沂南漢墓博物館
172	伏羲 女媧 神人畫像石	東漢	山東沂南縣北寨村	山東省沂南漢墓博物館
172	神怪 西王母畫像石	東漢	山東沂南縣北寨村	山東省沂南漢墓博物館
173	神怪 羽人 异獸畫像石	東漢	山東沂南縣北寨村	山東省沂南漢墓博物館
174	青龍畫像石	東漢	山東沂南縣北寨村	山東省沂南漢墓博物館
174	神怪 瑞獸畫像石	東漢	山東沂南縣北寨村	山東省沂南漢墓博物館
175	羽人 瑞獸畫像石	東漢	山東沂南縣北寨村	山東省沂南漢墓博物館
175	武器庫 小吏畫像石	東漢	山東沂南縣北寨村	山東省沂南漢墓博物館
176	藺相如故事畫像石	東漢	山東沂南縣北寨村	山東省沂南漢墓博物館
177	晉靈公畫像石	東漢	山東沂南縣北寨村	山東省沂南漢墓博物館
178	吊唁祭祀畫像石	東漢	山東沂南縣北寨村	山東省沂南漢墓博物館
179	吊唁祭祀畫像石	東漢	山東沂南縣北寨村	山東省沂南漢墓博物館
180	出行圖畫像石	東漢	山東沂南縣北寨村	山東省沂南漢墓博物館
182	百戲畫像石	東漢	山東沂南縣北寨村	山東省沂南漢墓博物館
183	豐收庖厨畫像石	東漢	山東沂南縣北寨村	山東省沂南漢墓博物館
184	西王母 歷史故事 車騎畫像石	東漢	山東嘉祥縣武宅山村武氏祠	山東省嘉祥縣武氏祠文物管理所
185	東王公 孝孫原穀 聶政刺韓王畫像石	東漢	山東嘉祥縣武宅山村武氏祠	山東省嘉祥縣武氏祠文物管理所

畫　像　石

佩劍人物畫像石
西漢
山東臨沂市羅莊區冊山鄉慶雲山2號石椁墓出土。
高70厘米。
圖中站立兩人，頭戴冠，身着長袍，佩長劍，拱手作交談狀。
現藏山東省臨沂市博物館。

天地畫像石
西漢
山東臨沂市羅莊區冊山鄉慶雲山2號石椁墓出土。
高70厘米。
畫像以圓形表示太陽及周天，以四斜綫表示四維，方形表示大地。
現藏山東省臨沂市博物館。

雙樹雙璧畫像石
西漢
山東臨沂市羅莊區冊山鄉慶雲
山2號石椁墓出土。
高70、寬220厘米。
上下兩圖均爲橫式三欄。左右
兩欄爲璧紋，中欄爲一屋宇，
屋中皆有兩人，屋外兩側各植
一株樹。
現藏山東省臨沂市博物館。

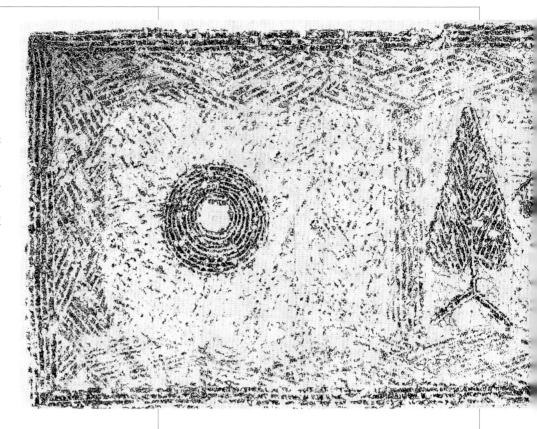

雙闕人物畫像石
西漢
山東濟寧市原濟寧師範專科學
校10號石椁墓出土。
高90、寬90厘米。
左圖表現一單騎執戟者過樓闕
場面。右圖表現雙人執戟對立
場面。兩圖之闕均爲重檐雙
闕。
現藏山東省濟寧市博物館。

雙闕人物畫像石之一

雙闕人物畫像石之二

［ 畫像石 ］

西漢新（公元前二〇六年至公元二五年）

舞樂　廳堂　漁獵畫像石
西漢
山東濟寧市原濟寧師範專科
學校10號石槨墓出土。
高87、寬273厘米。
橫式三欄。中欄爲主人憑几
坐于廳堂之内，左欄爲樂舞
場面，右欄爲漁獵場面。
現藏山東省濟寧市博物館。

舞樂　廳堂　出行畫像石
西漢
山東濟寧市原濟寧師範專科
學校10號石槨墓出土。
高87、寬273厘米。
橫式三欄。中欄爲主人坐于
廳堂之内，左欄爲樂舞場
面，右欄爲出行場面。
現藏山東省濟寧市博物館。

6

舞樂 闕門 迎見畫像石

西漢

山東濟寧市原濟寧師範專科學校出土。

高80、寬260厘米。

前後兩面刻，各三欄。前面三欄分別爲舞樂、闕門和迎賓場面，後面三欄分別是漁獵、廳堂主僕和雙闕騎士場面。

現藏山東省濟寧市博物館。

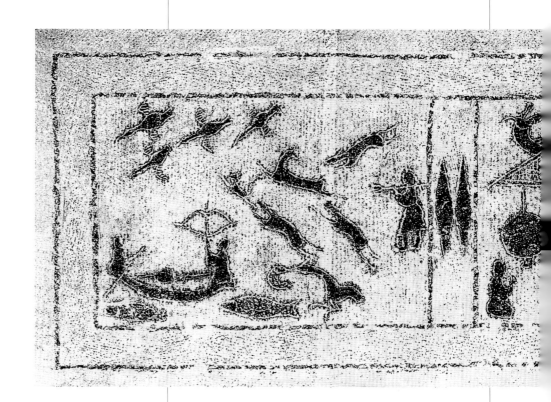

舞樂 闕門 迎見畫像石正面

舞樂 闕門 迎見畫像石背面

**橦戲 謁見 升鼎
畫像石**

西漢
山東微山縣微山島溝
南村出土。
高83、寬247厘米。
橫式三欄。左爲橦
戲，中爲樓宇人物，
右爲升鼎圖。
現藏山東省微山縣文
化館。

**庖厨 謁見 樂舞
畫像石**

西漢
山東微山縣微山島溝
南村出土。
高82、寬277厘米。
橫式三欄。左爲庖
厨，中爲樓堂人物，
右爲樂舞圖，表現主
人接待賓客的場面。
現藏山東省微山縣文
化館。

西
漢
新
（
公
元
前
二
〇
六
年
至
公
元
二
五
年
）

升仙　除惡畫像石

西漢

山東微山縣微山島溝南村出土。
高81、寬240厘米。
橫式三欄。左欄刻廳堂、仙樹，
堂內有仙人端坐，堂外有侍者；
中欄刻車騎出行圖，一部分已
殘；右欄刻一人正刺殺一巨獸。
現藏山東省微山縣文化館。

喪葬　禮儀畫像石

西漢

山東微山縣微山島溝南村出土。
高81、寬252厘米。
橫式三欄。左欄爲禮拜場面，中
欄爲出殯圖，右欄似爲墓地。
現藏山東省微山縣文化館。

西漢新（公元前二〇六年至公元二五年）

**狩獵　樂舞百戲
畫像石**
西漢
山東微山縣微山島溝
南村出土。
高81、寬257厘米。
橫式三欄。左欄和右
欄爲狩獵圖，中欄爲
樂舞百戲。
現藏山東省微山縣文
化館。

**狩獵　宴享　樓堂
畫像石**
西漢
山東微山縣微山島溝
南村出土。
高83、寬247厘米。
橫式三欄。左欄爲雙
闕及門吏，中欄爲狩
獵出行圖，右欄爲樓
堂宴飲場面。
現藏山東省微山縣文
化館。

雙鳥　雙闕畫像石
西漢
山東沂水縣岜山出土。
高118、寬89厘米。
左右兩欄各有一重檐闕樓，
闕頂有鳳鳥相對而立。
現藏山東省沂水縣博物館。

連璧　朱雀畫像石
西漢
山東沂水縣岜山出土。
高58、寬90厘米。
畫面分左右兩欄。左欄爲五璧相連，右欄爲一羽冠朱雀。
現藏山東省沂水縣博物館。

樓閣畫像石

西漢

山東沂水縣芑山出土。

高100、寬44厘米。

畫面爲一座三重樓閣，頂部立一隻大鳥，身長過樓脊，
體現了早期畫像的典型風格。

現藏山東省沂水縣博物館。

翼獸 人物畫像石

西漢

山東鄒城市郭里鎮黃路屯村出土。

高125、寬96厘米。

畫面分上下兩部分。上刻一張翼騰空翼獸，下刻一躬身
執笏人物。

現藏山東省鄒城市孟廟。

迎賓 擊鼓 水鳥畫像石
西漢
山東鄒城市羊場村出土。
高68、寬242厘米。
橫式三欄，左欄爲迎賓場面，
中欄爲擊鼓奏樂，右欄爲水鳥
啄魚圖。
現藏山東省鄒城市孟廟。

軺車 雙闕 水鳥畫像石
西漢
山東鄒城市郭里鎮高村臥虎山
出土。
高72、寬247厘米。
橫式三欄。左欄爲軺車出行，
中欄爲重檐雙闕，右欄爲水鳥
啄魚。
現藏山東省鄒城市孟廟。

樂舞 斷橋 樓闕畫像石
西漢
山東鄒城市北宿鎮南落陵村
出土。
高86、寬242厘米。
橫式三欄。左欄爲樂舞場
面，上刻建鼓和舞者，下刻
鳳鳥；中欄爲兩車遇橋斷，
水中騰龍昂首托車；右欄爲
一樓二闕，樓上人物憑欄
坐，樓下人物拜謁。
現藏山東省鄒城市孟廟。

雙龍 鬥獸 三鳥畫像石
西漢
山東鄒城市北宿鎮南落陵村
出土。
高66.5、寬261厘米。
橫式三欄。左爲二龍相戲；
中爲猛虎撲牛，牛主人持矛
刺虎的場面；右爲三水鳥爭
啄一魚。
現藏山東省鄒城市孟廟。

魚車 出行 建鼓舞畫像石

西漢

山東鄒城市北宿鎮南落陵村出土。

高66.5、寬261厘米。

橫式三欄。左欄爲魚車，中欄一軺
車出行，右欄爲建鼓舞。

現藏山東省鄒城市孟廟。

雙闕 串璧 鋪首畫像石

西漢

山東棗莊市薛城區臨山出土。

高64、寬250厘米。

橫式三欄。左欄爲單檐雙闕，中
欄爲串璧紋，右欄爲鋪首銜環。

現藏山東省棗莊市博物館。

迎送人物畫像石
西漢
山東鄒城市看莊鎮八里河村出土。
高147、寬191厘米。
畫面分三部分，表現中央騎者出行、兩側
人物送別和相迎的場面。
現藏山東省鄒城市孟廟。

騎射 格鬥 蹶張畫像石
西漢
山東鄒城市看莊鎮八里河村出土。
高147、寬177厘米。
畫面爲三部分。左爲騎馬場面；中央爲兩
人揮劍格鬥，中間揮臂之人當爲裁判，一
人持劍在旁助威；右側一人，頭戴冠，足
蹬弩，口銜箭，爲蹶張形象。《漢書》顏
師古注引如淳曰："材官之多力，能脚踏
强弩張之，故曰蹶張。"
現藏山東省鄒城市孟廟。

西漢新（公元前二○六年至公元二五年）

鳳鳥畫像石
西漢
山東滕州市馬王村出土。
高64、寬70厘米。
表現一銜聯珠的鳳鳥形象。
現藏山東省滕州市博物館。

老子　孫武畫像石
西漢
山東兗州市農機學校出土。
高65、寬243厘米。
橫式三欄。左欄中央爲老子，
身後刻“老子”二字，前後有三
人，左上爲蟾蜍；中欄垂帳下有
博弈飲酒等場面；右欄右側爲孫
武，旁題“孫武”二字，孫武前
有三人，其中一人戲蟾蜍，另兩
人旁觀。
現藏山東省兗州市博物館。

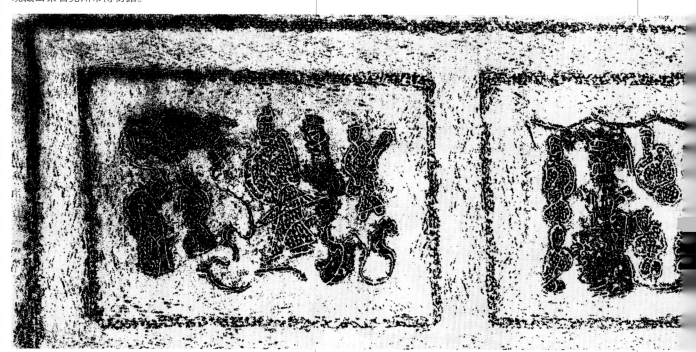

神怪 老虎畫像石
西漢

山東兗州市農機學校出土。
高67、寬83厘米。
右側爲戎裝神怪，雙手執
棍；左側爲立狀老虎。
現藏山東省兗州市博物館。

雙闕　出行　廳堂畫像石
西漢
山東兗州市農機學校出土。
高65、寬240厘米。
橫式三欄。左欄爲雙闕；中欄爲兩輄車出行，侍從、獵狗隨行；右欄爲一堂二闕，堂內主人憑几端坐，周圍站立侍從。
現藏山東省兗州市博物館。

鬥獸　擊鼓畫像石
西漢
山東兗州市農機學校出土。
高65、寬243厘米。
橫式三欄。左欄爲二虎、二犬、一鳥和一牛，中欄爲人物及群獸，右欄爲建鼓舞。
現藏山東省兗州市博物館。

西漢新（公元前二〇六年至公元二五年）

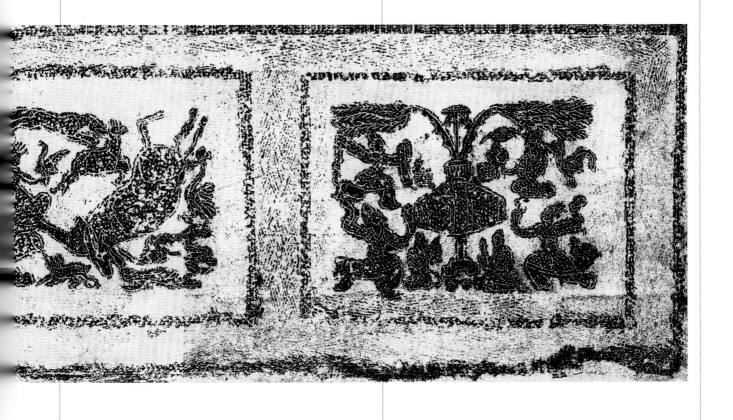

西漢新（公元前二〇六年至公元二五年）

出行 牛耕畫像石

西漢

山東金鄉縣香城堌堆出土。

高89、寬270厘米。

橫式三欄。左欄爲一軺車、三騎士、二步卒和一迎者，中欄爲二車、一騎、一導卒和三送者，右欄爲牛耕及軺車行進畫面。

現藏山東省石刻藝術博物館。

武士對練畫像石

西漢

山東金鄉縣香城堌堆出土。

高89、寬270厘米。

橫式三欄。左欄爲二武士分持矛、劍對練；中欄爲帶芒璧紋；右欄爲兩武士持矛待練，中爲裁判或武師。

現藏山東省石刻藝術博物館。

西漢新（公元前二○六年至公元二五年）

程嬰　趙盾故事畫像石

西漢

河南南陽市臥龍區楊官寺墓出土。

高176、寬56厘米。

畫面分四層。上層爲孔子見老子畫像；第二層左側兩人
爭搶一物，右側兩人趨步前衝；第三層左側一犬撲咬右
側之人；下層左側兩人持物，右側人物作迎接狀，應爲
程嬰杵臼、狗咬趙盾等歷史故事。

現藏河南省南陽漢畫館。

日神　月神畫像石

西漢

河南唐河縣湖陽出土。

高148、寬40厘米。

上爲月神常羲，雙手捧月，月中有蟾蜍；下爲日神羲
和，雙手托日，日中有金烏。

現藏河南省南陽漢畫館。

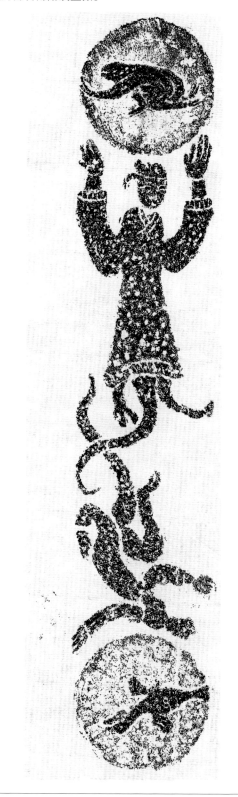

武庫畫像石

西漢

河南唐河縣針織廠出土。

高182、寬52厘米。

武庫欄架分別有二長矛、二戟、四弩和七盾。下部有守衛者二人，皆戴冠，着長袍。

現藏河南省南陽漢畫館。

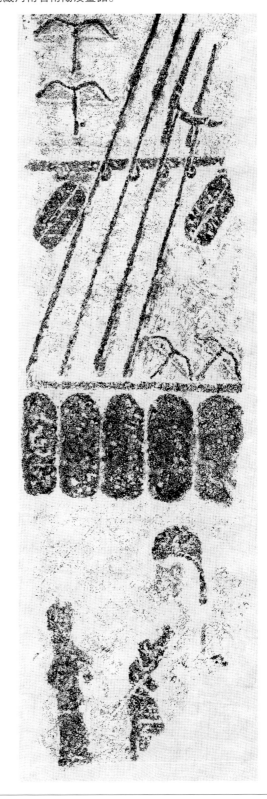

拔劍武士畫像石

西漢

河南唐河縣針織廠出土。

高106、寬34厘米。

畫面正中刻一武士，左手握鞘，右手拔劍；上爲一力士，雙手上托；下爲一玄武。

現藏河南省南陽漢畫館。

戲虎畫像石
西漢
河南唐河縣針織廠出土。
高73、寬127厘米。
畫面表現戲虎的場景。
現藏河南省南陽漢畫館。

車騎出行畫像石
西漢
河南唐河縣針織廠出土。
高73、寬127厘米。
畫面分上下兩部分，兩部分首尾相接，構成一幅完整
的車騎出行場面。
現藏河南省南陽漢畫館。

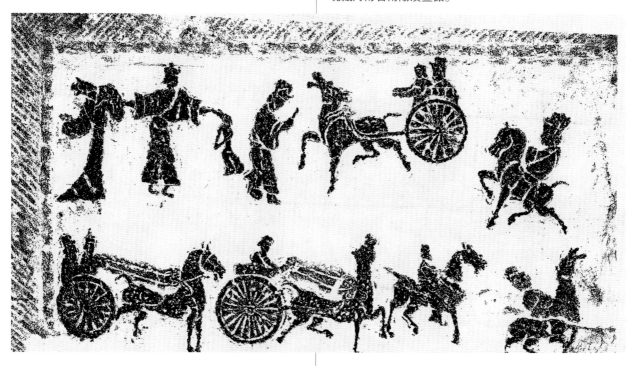

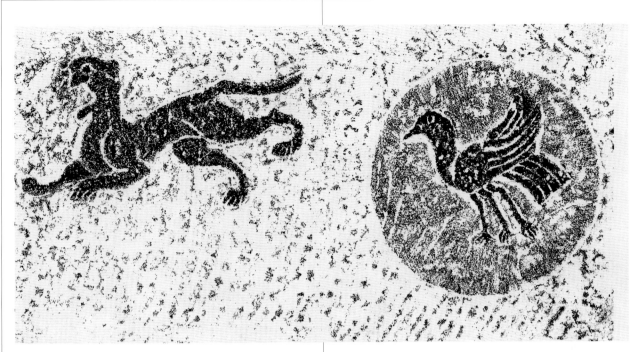

白虎　三足烏畫像石
西漢
河南唐河縣針織廠出土。
高45、寬96厘米。
畫面左側刻一白虎鼓目張口，昂首翹尾作奔馳狀；右刻
一日輪，内立一隻三足烏。
現藏河南省南陽漢畫館。

荆軻故事畫像石
西漢
河南唐河縣針織廠出土。
高45、寬93厘米。
圖中刻三人，自右至左爲荆軻、秦王和秦舞陽。
現藏河南省南陽漢畫館。

虎食鬼魅畫像石

西漢

河南唐河縣針織廠出土。

高41、寬352厘米。

共二石。上石刻二獸爭鬥，中間一虎將鬼魅撲食于地，
旁立一犬；下石刻四虎，中一虎將鬼魅撲食于地。

現藏河南省南陽漢畫館。

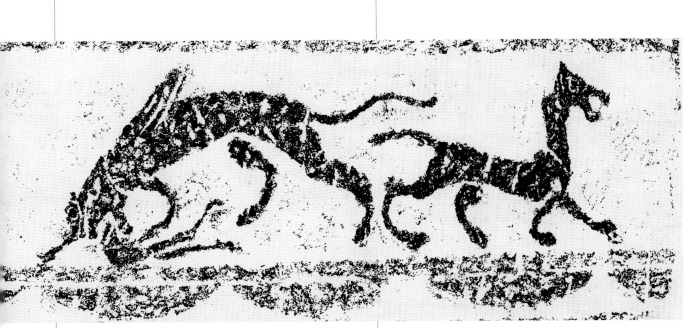

虎食鬼魅畫像石之一

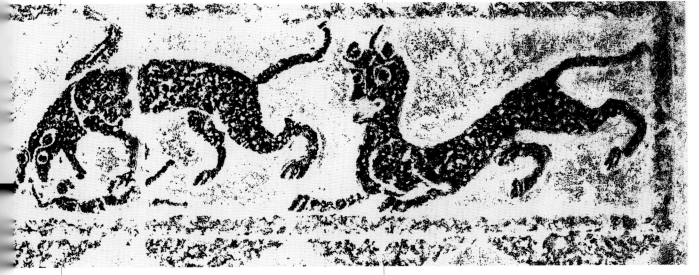

虎食鬼魅畫像石之二

西漢新（公元前二〇六年至公元二五年）

聶政故事畫像石
西漢
河南唐河縣針織廠出土。
高100、寬100厘米。
畫面上下分爲兩部分。上層
刻二人鬥牛，左邊一人握劍
于牛前，牛前肢着地，後肢
被另一力士提起。下層爲聶
政自屠的故事。
現藏河南省南陽漢畫館。

車騎出行畫像石
西漢
河南唐河縣針織廠出土。
高41、寬352厘米。
畫面爲車騎出行場面。前有兩騎士持弩前行；中部車上
樹一建鼓；後一軺車，車後一從者執矛隨行。
現藏河南省南陽漢畫館。

畋獵畫像石（上圖）

西漢

河南唐河縣針織廠出土。

高85、寬103厘米。

畫面表現獵者圍獵場面。

現藏河南省南陽漢畫館。

聶政故事畫像石（上圖）

西漢

河南唐河縣針織廠出土。

高63、寬100厘米。

中央一人袒露右臂，左手掀衣，右手執劍，作自殺狀，爲齊人聶政。右邊一人頭戴高冠，坐于榻上，爲韓相俠累。左邊一侍者作驚恐狀。畫面表現戰國俠客聶政刺殺韓相俠累後自屠的故事。

現藏河南省南陽漢畫館。

高祖斬蛇畫像石

西漢

河南唐河縣針織廠出土。

高68、寬106厘米。

圖中一人戴冠，穿長衣，雙手執鉞。另一人冠拋於空中，手執長劍力斬身前長蛇，似爲"高祖斬蛇"故事。

現藏河南省南陽漢畫館。

晏子見齊景公畫像石（上圖）

西漢

河南唐河縣針織廠出土。

高69、寬128厘米。

圖中戴冠着長袍、仰目側立者爲齊景公，其前跪拜者爲晏子。畫像取材于春秋時期"晏子見齊景公"的故事。

現藏河南省南陽漢畫館。

人 獸 神仙畫像石

西漢

河南唐河縣針織廠出土。

高84、寬125厘米。

畫像分三個部分。左上部爲力士鬥牛，左下部爲龍和虎， 右側爲一巨人抱伏羲、女媧之尾。

現藏河南省南陽漢畫館。

西漢新（公元前二〇六年至公元二五年）

樓閣 人物畫像石
西漢

河南唐河縣針織廠出土。
高84、寬100厘米。
畫面刻樓閣。下層爲廳
堂，廳堂内一主人扶案踞
坐，一人拱手跪拜。廳堂
上置對稱望亭，其間一人
抱杖。檐脊各有一鳥。
現藏河南省南陽漢畫館。

河伯出行畫像石
西漢

河南唐河縣針織廠出土。
高42、寬94厘米。
河伯爲黃河水神。圖中河伯與馭者共乘一輿，輿前三
魚挽車而行，輿後尾隨四魚。
現藏河南省南陽漢畫館。

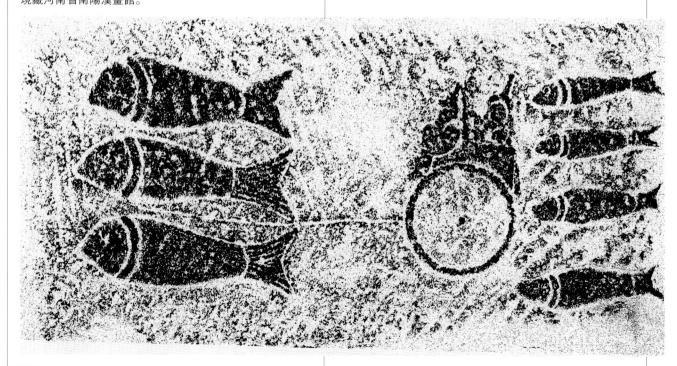

舞樂宴饗畫像石

西漢

河南唐河縣針織廠出土。

高64、寬138厘米。

畫分三層，分別表現宴饗、舞樂、六博等場面。

現藏河南省南陽漢畫館。

虎食女魃畫像石

西漢

河南唐河縣針織廠出土。

高62、寬135厘米。

畫中刻一窮奇、一虎按住一鬼魅。鬼魅的形象爲一瘦弱女子，應爲古代神話中的旱鬼女魃。

現藏河南省南陽漢畫館。

西漢新（公元前二〇六年至公元二五年）

車騎出行畫像石

西漢

河南唐河縣電廠出土。

高42、寬308厘米。

畫面刻六輛軺車一字排開向右行進，車隊前一導騎，
導騎前一人站立于側。

現藏河南省南陽漢畫館。

觀賞樂舞畫像石

西漢

河南唐河縣電廠出土。

高45-46、寬136-154厘米。

四幅相連，構成主賓觀看樂舞百戲、接受拜謁的場景。

現藏河南省南陽漢畫館。

觀賞樂舞畫像石之一

觀賞樂舞畫像石之二

觀賞樂舞畫像石之三

觀賞樂舞畫像石之四

獵虎　交尾龍畫像石

西漢

河南唐河縣電廠出土。

高46、寬303厘米。

畫面分兩部分。左側爲二人獵虎圖，右側爲二龍仰首交尾圖。現藏河南省南陽漢畫館。

導騎出行畫像石

西漢

河南唐河縣電廠出土。

高46、寬285厘米。

右起一人高髻、一人戴勝，拱手而立，另一人戴冠持節而立。中間一人雙手握劍，其前爲兩名騎馬持棨戟武士。左側爲執弩機和戟的前導。現藏河南省南陽漢畫館。

蹶張　熊畫像石

新

河南唐河縣新店郁平大尹馮君孺人墓出土。

高66、寬129厘米。

蹶張頭戴武冠，着短襦短褲，背插矢，兩手拉弦，雙足踏弓。旁有一熊，扭頭舞爪作驚恐狀。現藏河南省南陽漢畫館。

擊鼓畫像石（下圖）

新

河南唐河縣新店郁平大尹馮君孺人墓出土。

高93、寬123厘米。

圖正中置一建鼓，兩側各有一舞伎雙手執桴，擊鼓對舞。

現藏河南省南陽漢畫館。

西漢·新（公元前二〇六年至公元二五年）

拜謁畫像石

新

河南唐河縣新店郁平大尹馮君孺人墓出土。
高66、寬150厘米。
畫面中主人修八字鬍，左手扶劍，右手手掌向上平伸，
作禮畢招呼狀。主人右側有兩官吏，一吏下跪執笏，一
吏站立執笏，皆彎腰作拜謁狀。其左一吏佩劍執笏。
現藏河南省南陽漢畫館。

拜謁畫像石

新

河南唐河縣新店郁平大尹馮君孺人墓出土。
高66、寬128厘米。
畫面左側主人戴進賢冠，右手執笏，右向跽坐受拜；
主人面前一人跪立，雙手捧笏作揖，身後另有六人執
笏跪拜。
現藏河南省南陽漢畫館。

舞樂百戲畫像石

新

河南唐河縣新店郁平大尹馮君孺人墓出土。

高56、寬153厘米。

畫面左起一樂伎吹奏，旁一樂伎右手搖鼓，左手持排簫吹奏。右面三人表演盤舞、倒立等雜技。

現藏河南省南陽漢畫館。

拜謁畫像石

新

河南唐河縣新店郁平大尹馮君孺人墓出土。

高93、寬127厘米。

兩官吏戴高冠，穿長襦客服，捧笏互拜。左側官吏身後立一侍衛，頭戴武冠，着短衣短褲，左手握劍，右手執盾，形象彪悍。

現藏河南省南陽漢畫館。

人首虎身獸畫像石

新

河南唐河縣新店郁平大尹馮君孺人墓出土。
高40、寬112厘米。

畫像爲人面虎身獸，虎頸一首，虎尾三首，四首皆戴冠。《山海經·中山經》曰："有獸焉，其名曰馬腹，其狀如人面虎身。"該畫像被作爲鎮墓辟邪的守護神。現藏河南省南陽漢畫館。

羽人戲龍畫像石

新

河南唐河縣新店郁平大尹馮君孺人墓出土。
高37、寬187厘米。
畫面中央二龍交尾。左側一羽人執一物戲龍，右側一人持刀而坐。
現藏河南省南陽漢畫館。

舞樂百戲畫像石

新

河南唐河縣新店郁平大尹馮君孺人墓出土。
高67、寬160厘米。
畫面左側置一長几，几旁坐樂伎四人，各執竽、排簫和豎管等樂器。几右四人表演舞蹈雜技。
現藏河南省南陽漢畫館。

騎象畫像石

新

河南唐河縣新店郁平大尹馮君孺人墓出土。

高64、寬67厘米。

畫面中一頭大象，長鼻微捲，邁步緩行。象背騎二人，前者背向踞坐，後者以臂托頭，翹腿仰臥。

現藏河南省南陽漢畫館。

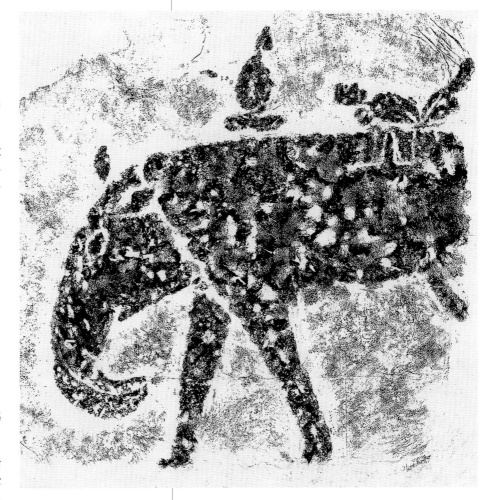

馴虎畫像石

新

河南唐河縣新店郁平大尹馮君孺人墓出土。

高70、寬120厘米。

畫面中間一虎昂首翹尾，前有一人高髻短襦，雙手執索牽虎。虎後一猿抓按虎尾及後肢。右下刻一虎仔。

現藏河南省南陽漢畫館。

東漢（公元二五年至公元二二○年）

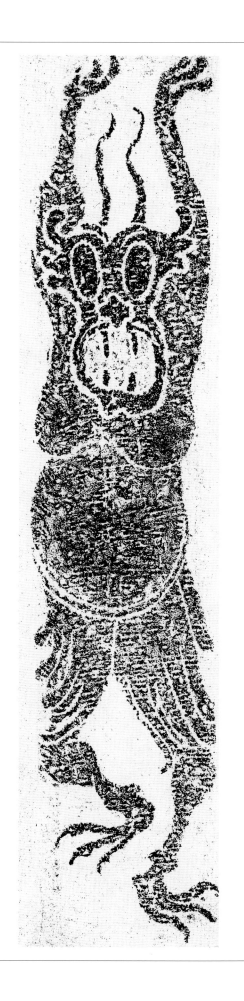

廳堂　鋪首銜環畫像石（左圖）

東漢

河南唐河縣石灰窑村出土。

高144、寬57厘米。

畫面上部刻廳堂，廳上有雙層望亭，廳兩側各有一樹，
屋頂、樹梢栖五鳳，廳堂內端坐一尊者，左右立侍
從。下部刻鋪首銜環。

現藏河南省南陽漢畫館。

方相畫像石

東漢

河南南陽市臥龍區七里園鄉白灘村出土。

高163、寬32厘米。

方相頭生角，體披毛，巨口露齒，兩目奇大，張牙舞
爪，异常恐怖。

現藏河南省南陽漢畫館。

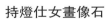

持燈仕女畫像石
東漢
河南南陽市臥龍區七里園鄉出土。
高146、寬37厘米。
仕女手持豆形燈，作緩步行走狀。
現藏河南省南陽漢畫館。

幻日畫像石
東漢
河南南陽市宛城區英莊出土。
高152、寬81厘米。
畫面爲一陽鳥背負日輪展翅飛翔，周圍環繞雲氣紋。
現藏河南省南陽漢畫館。

東漢（公元二五年至公元二二○年）

雷公乘車畫像石（上圖）

東漢

河南南陽市宛城區英莊出土。

高79、寬147厘米。

畫面中表現雷公乘車，車中豎一鼓。車前有三隻騰飛的
翼虎。

現藏河南省南陽漢畫館。

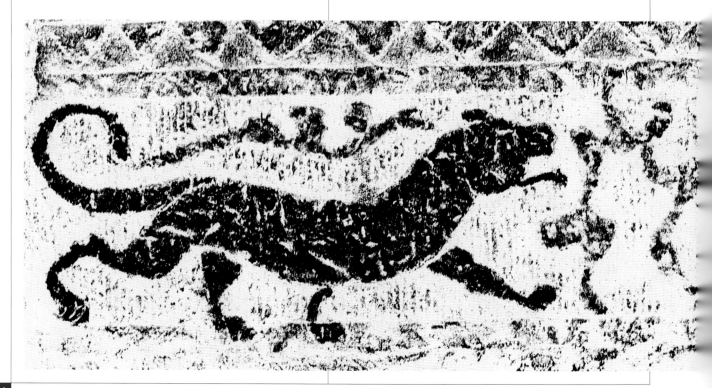

神獸畫像石

東漢

河南南陽市宛城區英莊出土。

高42、寬163厘米。

畫面左側爲一翼獸作進擊狀，右側异獸四肢張開作後
仰狀，四周雲氣繚繞。

現藏河南省南陽漢畫館。

馴象畫像石

東漢

河南南陽市宛城區英莊出土。

高35、寬146厘米。

圖中刻長齒象緩步前行，象後刻一馴象者，戴尖頂
帽，手持長鈎。象前有一虎。

現藏河南省南陽漢畫館。

厨架畫像石

東漢

河南南陽市宛城區英莊出土。

高95、寬41厘米。

畫面中一厨架，廡殿式頂，下有兩獸足。厨架分三層，
第一層由一立柱隔爲左右兩部分，左放盤，右放耳杯；
第二層和第三層分別放置壺、尊等。厨架下卧伏一犬。
現藏河南省南陽漢畫館。

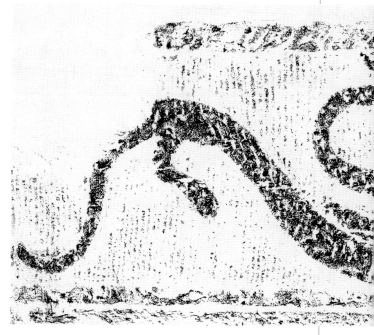

麒麟　白虎畫像石（上圖）

東漢

河南南陽市宛城區英莊出土。

高39、寬144厘米。

畫面中左白虎，右麒麟，二神獸呈雲中追逐狀。
現藏河南省南陽漢畫館。

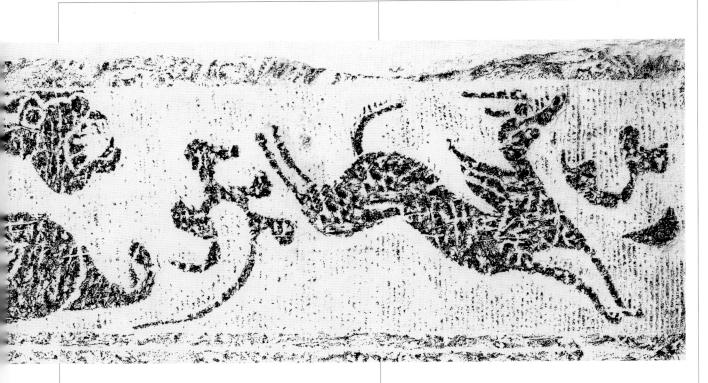

犬獸 仙人畫像石

東漢

河南南陽市宛城區英莊出土。

高38、寬153厘米。

畫面正中爲群山，上栖一鳥。右三犬作追逐狀，後有二
飛鳥、一走獸。畫面中左有二應龍，應龍前有一仙人。
現藏河南省南陽漢畫館。

東漢（公元二五年至公元二二○年）

執鏡侍女畫像石

東漢

河南南陽市宛城區英莊出土。

高95、寬33厘米。

圖中一侍女束高髻，手執銅鏡，下垂流蘇，正面而立。

現藏河南省南陽漢畫館。

鬥雞畫像石

東漢

河南南陽市宛城區英莊出土。

高41、寬149厘米。

畫面中傘蓋下置二樽、二盤，盤中盛物似爲賭金。二雄雞昂首翹尾，躍躍欲鬥。其後站立者應是鬥雞主人。

現藏河南省南陽漢畫館。

網罟畫像石
東漢
河南南陽市宛城區英莊出土。
高38、寬153厘米。
畫面中一雙拱橋，橋上兩人結網捕魚；橋下碧波蕩漾，
一舟水上游弋，舟上一蕩槳者，一捕魚者。
現藏河南省南陽漢畫館。

畋獵畫像石

東漢

河南南陽市宛城區英莊出土。

高38、寬153厘米。

畫面爲山區畋獵的宏大場面。右一騎者，一持箪者，在二獵犬配合下追逐三隻逃往山中的奔鹿。山巒左側一獵者立于一輦上。

現藏河南省南陽漢畫館。

鼓舞畫像石

東漢

河南南陽市宛城區軍帳營墓出土。

高40、寬150厘米。

畫面左刻建鼓舞。右邊四人奏樂，其中一人撞鐘，兩人搖鼓、吹排簫，一人吹塤。

現藏河南省南陽漢畫館。

方士　升仙　鬥獸畫像石

東漢

河南南陽市宛城區軍帳營墓出土。

高44、寬165厘米。

畫面右刻一方士執角狀物作爲前導，後有二羽人正與神獸嬉戲。左刻二神獸相鬥。

現藏河南省南陽漢畫館。

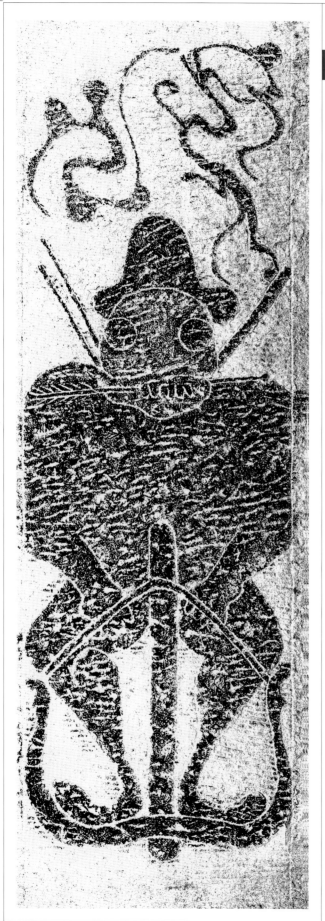

蹶張畫像石（左圖）

東漢

河南南陽市臥龍區石橋出土。

高150、寬55厘米。

圖中蹶張口銜一矢，背插三矢，兩足踏弩，奮力張弦。

現藏河南省南陽漢畫館。

鬥獸畫像石

東漢

河南南陽市臥龍區石橋出土。

高40、寬155厘米。

畫面左側一獸垂首弓背，中一獸昂首奮蹄作奔馳狀，右側人物揚手叉腿作鬥獸狀。

現藏河南省南陽漢畫館。

角抵畫像石

東漢

河南南陽市臥龍區石橋出土。

高40、寬151厘米。

畫面左側一牛奮蹄弓頸向前猛抵，右側二人作格鬥狀。

現藏河南省南陽漢畫館。

捧奩侍女畫像石

東漢

河南南陽市臥龍區石橋出土。

高117、寬34厘米。

圖中侍女梳高髻，着細腰深衣，雙手捧奩而立。

現藏河南省南陽漢畫館。

侍女畫像石

東漢

河南南陽市臥龍區石橋出土。

高119、寬32厘米。

圖中侍女梳高髻，着長衣，舉長袖而立。

現藏河南省南陽漢畫館。

許阿瞿墓志畫像石

東漢

河南南陽市李相公莊出土。

高69、寬109厘米。

全石分爲畫像和墓志銘兩部分。畫像爲兩層，上層爲許阿瞿觀賞游戲的場面；下層爲樂舞百戲。榜題爲"許阿瞿"。畫面左側刻隸書墓志銘。

現藏河南省南陽漢畫館。

常羲捧月畫像石

東漢

河南南陽市西關漢墓出土。

高65、寬119厘米。

圖中月神常羲人首蛇身，高髻廣袖，在雲氣中雙手捧一月輪，月輪内伏一蟾蜍。

現藏河南省南陽漢畫館。

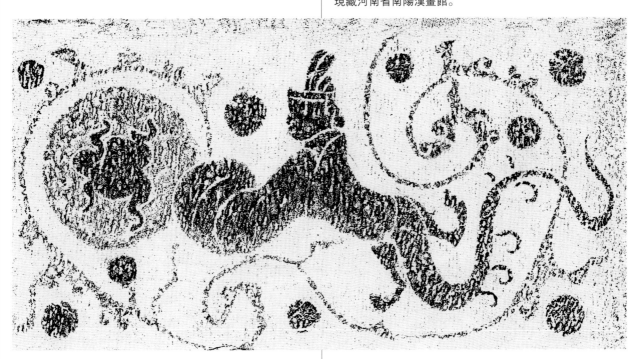

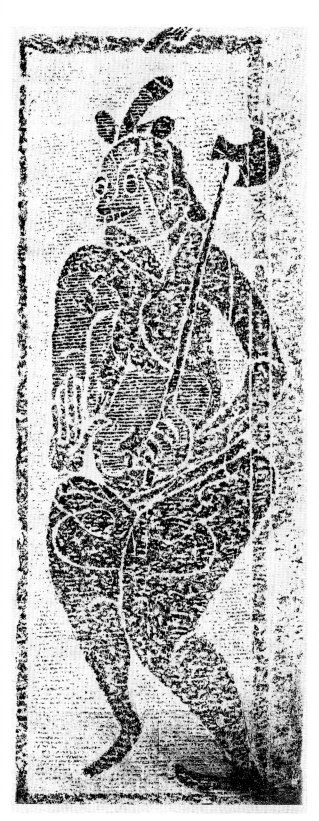

神荼 鬱壘畫像石
東漢
河南南陽市東關出土。
高145、寬53厘米。

二神頭梳髮髻，下着短褲，面目猙獰，持鉞和刀。《類說》卷六引《荊楚歲時記》：歲旦繪二神貼户左右，左神荼、右鬱壘。俗稱二門神。
現藏河南省南陽漢畫館。

蒼龍星座畫像石

東漢

河南南陽市蒲山鎮阮堂出土。

高135、寬95厘米。

畫面爲蒼龍星座及月宮圖。蒼龍星座含角、亢、
氐、房、心、尾和箕七宿。

現藏河南省南陽漢畫館。

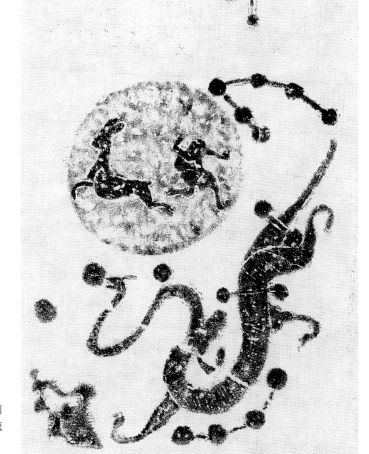

教子畫像石

東漢

河南南陽市蒲山鎮阮堂出土。

高60、寬107厘米。

圖中男子戴冠着袍，左手執棒，右手揮拳，似在訓
斥一孩童。孩童驚恐地躲藏于婦人臂下。婦人頭梳
高髻，身着廣袖長袍，雙膝跪地作庇護狀。

現藏河南省南陽漢畫館。

東漢（公元二五年至公元二二〇年）

執棒門吏畫像石

東漢

河南南陽市溧河鄉十里鋪東窰場出土。

高132、寬31厘米。

圖中門吏頭戴雙纓帽，身着長衣，高鼻，雙手扶棒，側身而立。

現藏河南省南陽漢畫館。

高髻侍女畫像石

東漢

河南南陽市溧河鄉十里鋪東窰場出土。

高132、寬42厘米。

畫面刻一侍女，頭梳高髻，身穿寬袖長衣，右手提小口提梁壺，直身而立。

現藏河南省南陽漢畫館。

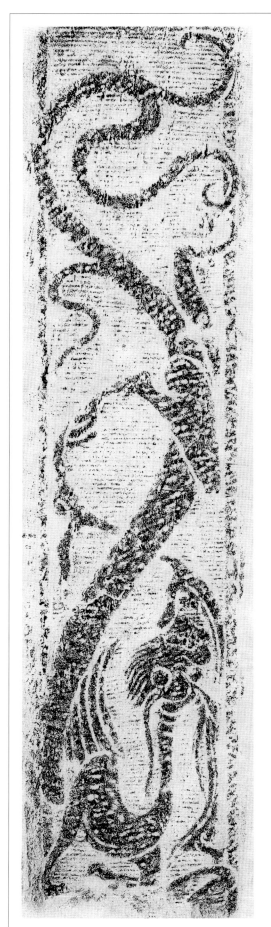

應龍畫像石（左圖）
東漢
河南南陽市溧河鄉十里鋪出土。
高130、寬31厘米。
圖中刻應龍頸上昂，頷下有長髯，後尾歧分。
現藏河南省南陽漢畫館。

神獸與羽人畫像石
東漢
河南南陽市溧河鄉十里鋪出土。
高145、寬87厘米。
圖中上刻玄武，左刻兩隻飛鹿及牽鹿羽人，右下刻九頭
人首神獸。
現藏河南省南陽漢畫館。

天象畫像石

東漢

河南南陽市丁鳳店出土。

高29、寬135厘米。

畫面上部爲一背負日輪的陽烏。下刻一滿月，月內飾蟾蜍，爲日升月落之象，日月之間刻有星宿。

現藏河南省南陽漢畫館。

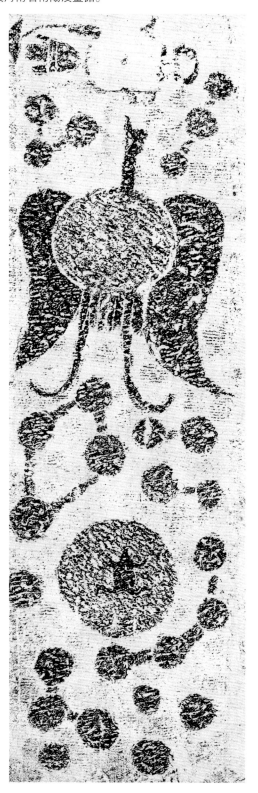

牽犬畫像石(上圖)

東漢

河南南陽市宛城區出土。

高37、寬135厘米。

畫面中部一猛犬張口翹尾，左側一人揚雙手作回頭對峙狀，右側一人作持索牽犬狀。

現藏河南省南陽漢畫館。

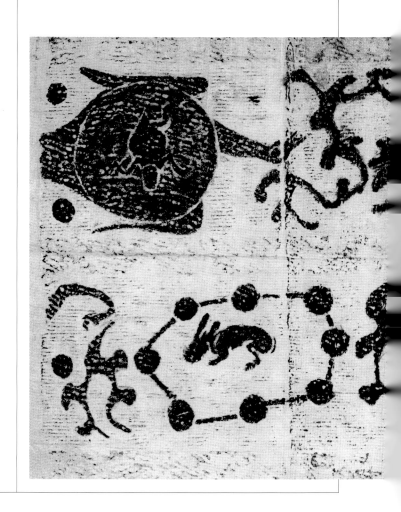

天象畫像石

東漢

河南南陽市宛城區出土。

高108、寬266厘米。

畫面下部爲蒼龍星座，左爲畢宿，内刻玉兔。上部右刻
陽烏，左刻月輪，月内刻蟾蜍，合爲日月合璧。

現藏河南省南陽漢畫館。

日神畫像石

東漢

河南南陽市臥龍區麒麟崗漢墓出土。

高122、寬30厘米。

圖中一神人人首蛇軀，頭戴山形冠，肩部生羽毛，雙手
于胸前捧一日輪。

現藏河南省南陽漢畫館。

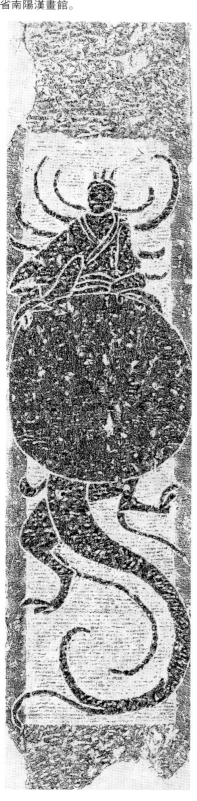

月神畫像石

東漢

河南南陽市臥龍區麒麟崗漢墓出土。

高145、寬28厘米。

圖中一神人人首蛇軀，體生羽毛，頭梳髮髻，雙手于胸
前捧一月輪。

現藏河南省南陽漢畫館。

羽人畫像石

東漢

河南南陽市臥龍區麒麟崗漢墓出土。

高61、寬30厘米。

圖中羽人肩生羽毛，左手持靈芝，伸頸張口作騰躍狀。

現藏河南省南陽漢畫館。

神獸畫像石

東漢

河南南陽市臥龍區麒麟崗漢墓出土。

高59、寬29厘米。

圖中神獸軀體似鹿，頭生一角，肩生羽毛，作行進狀。

現藏河南省南陽漢畫館。

東漢（公元二五年至公元二二〇年）

神獸畫像石

東漢

河南南陽市臥龍區麒麟崗漢墓出土。

高60、寬47厘米。

圖中神獸鼠頭鼠足鳳尾，身軀肥大，翼作飛騰之狀。

現藏河南省南陽漢畫館。

神獸畫像石

東漢

河南南陽市臥龍區麒麟崗漢墓出土。

高32、寬94厘米。

圖中神獸肩生翼，頭長角，長尾，四肢呈奔騰狀。

現藏河南省南陽漢畫館。

神獸畫像石
東漢
河南南陽市臥龍區
麒麟崗漢墓出土。
高58、寬60厘米。
圖中神獸狀似一
龍，口吐雲霧，身
軀騰空翻捲，張牙
舞爪。
現藏河南省南陽漢
畫館。

東漢（公元二五年至公元二二〇年）

鬥獸畫像石

東漢

河南南陽市臥龍區麒麟崗漢
墓出土。

高40、寬145厘米。

畫面中一力士赤裸上身，徒
手與一怪獸相搏。

現藏河南省南陽漢畫館。

天象畫像石

東漢

河南南陽市臥龍區麒麟崗漢
墓出土。

高130、寬380厘米。

由九塊石材組成。畫面中部
刻四神，天帝居中端坐。
右部刻日神人首蛇軀，胸部
日輪內有陽烏；北斗七星相
連，斗口斗柄分明。左刻月
神亦人首蛇軀，胸前有一滿
月；南斗六星相連，與北斗
遙遙相對。

現藏河南省南陽漢畫館。

東漢（公元二五年至公元二二〇年）

仙人乘龜畫像石

東漢

河南南陽市臥龍區麒麟崗漢墓出土。

高60、寬50厘米。

圖中一仙人手執仙草，踞坐于神龜背上。

現藏河南省南陽漢畫館。

人物畫像石

東漢

河南南陽市臥龍區麒麟崗漢墓出土。

高111、寬107厘米。

圖中一婦人頭梳高髻，身着長袍，一手前伸，一手扶腰，右向而立。

現藏河南省南陽漢畫館。

驅魔升仙畫像石

東漢

河南南陽市臥龍區獨山西坡出土。

高40、寬152厘米。

左側二虎一熊，撲向一怪獸，怪獸夾尾蹲坐于地；右側一龍回首，與一仙人相戲。

現藏河南省南陽漢畫館。

常羲捧月畫像石

東漢

河南南陽市臥龍區麒麟崗漢墓出土。

高162、寬64厘米。

圖中常羲人首蛇身，雙手舉月。足下踏雲氣，呈升騰狀。其左上刻三星相連，右下刻兩星相連。

現藏河南省南陽漢畫館。

畋獵畫像石

東漢

河南南陽市臥龍區王莊出土。

高42、寬167厘米。

此圖表現獵者指揮三犬圍獵野兔的場面。

現藏河南省南陽漢畫館。

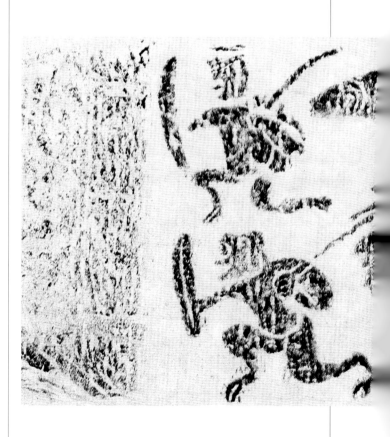

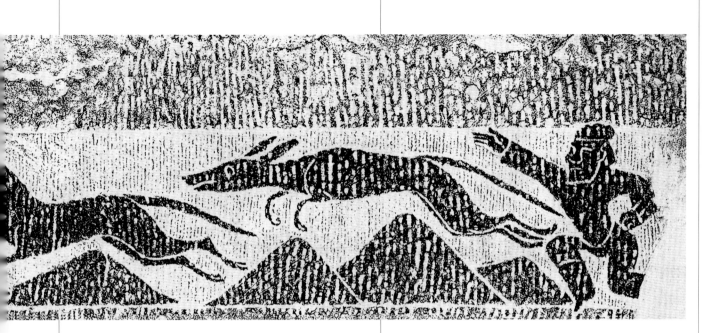

河伯出行畫像石

東漢

河南南陽市臥龍區王莊出土。

高46、寬154厘米。

河伯，古神話中的黃河之神，爲天帝的臣屬。《楚辭·
九歌·河伯》描寫河伯的出行："與女游兮九河，衝風
起兮橫波，乘水車兮荷蓋，駕兩龍兮驂螭。"

現藏河南省南陽漢畫館。

東漢（公元二五年至公元二二〇年）

車騎出行畫像石
東漢
河南南陽市臥龍區王莊出土。
高35、寬152厘米。
畫面右側一輛三駕輜車，車中
一尊者與一馭者，車前兩排騎
吏，每排四騎，皆手持兵刃。
現藏河南省南陽漢畫館。

天神畫像石
東漢
河南南陽市臥龍區王莊出土。
高50、寬170厘米。
圖上部三神人共拉一車，車輪
由五星構成。車下部四雨師抱
大罐向下傾灑。車後有一巨人
張口吹風，應爲風伯。
現藏河南省南陽漢畫館。

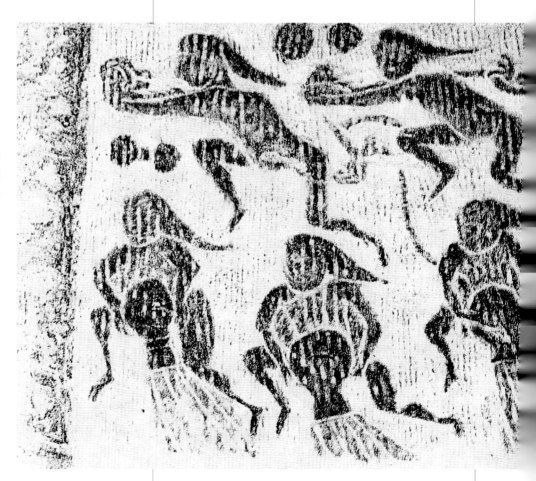

五鳳畫像石

東漢

河南南陽市臥龍區王莊出土。

高60、寬164厘米。

畫面刻五鳳同向飛行于天空。

現藏河南省南陽漢畫館。

舞樂畫像石

東漢

河南南陽市臥龍區王莊出土。

高42、寬148厘米。

畫面左半部爲樂舞表演：一人舞長袖；一人袒胸，一手搖鼗鼓，一手弄壺；一人作倒立。右半部爲伴奏者。

現藏河南省南陽漢畫館。

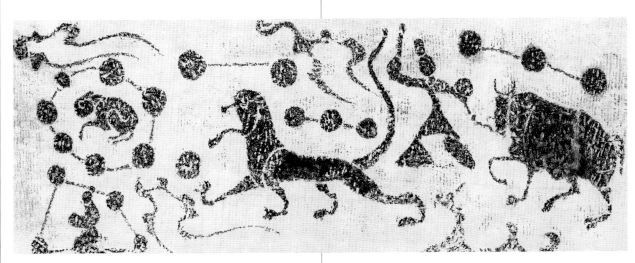

牛郎織女畫像石

東漢

河南南陽市臥龍區七里園鄉白灘村出土。

高51、寬141厘米。

畫面左上七星連綴，中有玉兔，表示月宮，其下四星連
成梯形，內有一高髻女子踞坐，爲織女。中部刻白虎星
座。右上三星爲牽牛星座，星下刻牛郎牽牛圖。

現藏河南省南陽漢畫館。

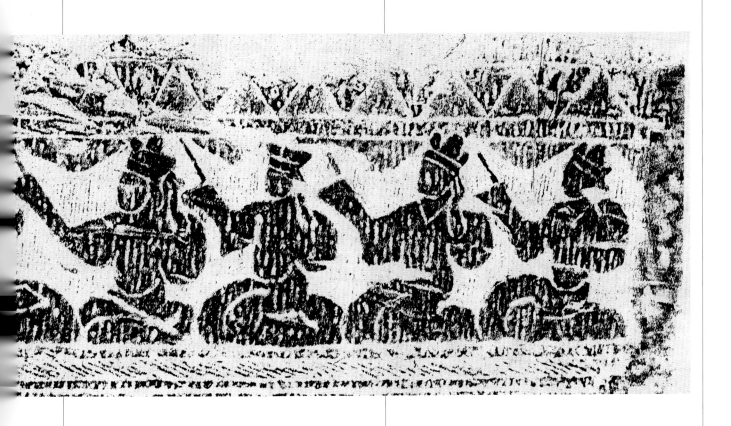

東漢（公元二五年至公元二二〇年）

拜謁畫像石

東漢

河南南陽市臥龍區七里園鄉白灘村出土。

高146、寬104厘米。

樓閣上一人，下爲門廳。廳前門扉微啓，一人側身出門，一人戴冠持名刺踞跪于地。表現漢代入謁主人和迎接賓客之情景。

現藏河南省南陽漢畫館。

樂舞 羽人 神獸畫像石

東漢

河南南陽市臥龍區沙崗店出土。

高42、寬107厘米。

上層爲樂舞圖，下層爲二羽人戲龍虎圖。

現藏河南省南陽漢畫館。

東漢（公元二五年至公元二二〇年）

投壺畫像石
東漢

河南南陽市臥龍區沙崗店出土。
高40、寬134厘米。
投壺是古人飲酒時的游戲，盛行于春秋戰國至兩漢。
現藏河南省南陽漢畫館。

百戲 宴飲 車騎出行畫像石
東漢

河南南陽市臥龍區沙崗店出土。
高70、寬180厘米。
上層爲百戲、宴飲，下層爲車騎出行。
現藏河南省南陽漢畫館。

騎射田獵畫像石
東漢

河南南陽市草店出土。
高40、寬155厘米。
畫面右部騎手張弓射虎，虎前部一獵人持矛刺
虎。左部二犬追逐一獐。
現藏河南省南陽漢畫館。

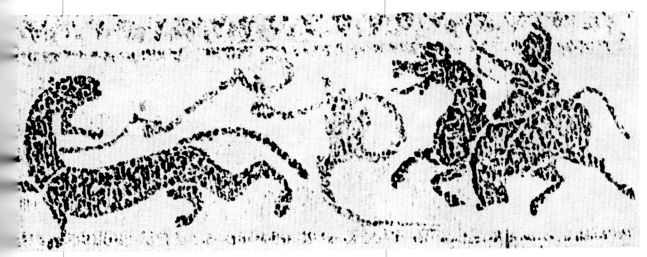

東漢（公元二五年至公元二二〇年）

大螺 應龍 仙人 畫像石

東漢

河南南陽市宛城區奎星樓出土。

高43、寬171厘米。

畫面右爲仙人，中爲應龍，左爲大螺，螺與應龍相戲。大螺和應龍爲漢代的祥瑞物。

現藏河南省南陽漢畫館。

樂舞百戲畫像石

東漢

河南南陽市宛城區七孔橋出土。

高39、寬130厘米。

左起一人跳長袖舞，第二人高髻袒胸，作雜技表演，第三人作倒立表演。右五人奏樂。

現藏河南省南陽漢畫館。

巡游畋獵畫像石

東漢

河南南陽市宛城區七孔橋出土。

高43、寬264厘米。

畫面中部兩輛軺車，車內各乘馭手和尊者，導騎和從騎共十三人。

現藏河南省南陽漢畫館。

東漢（公元二五年至公元二二〇年）

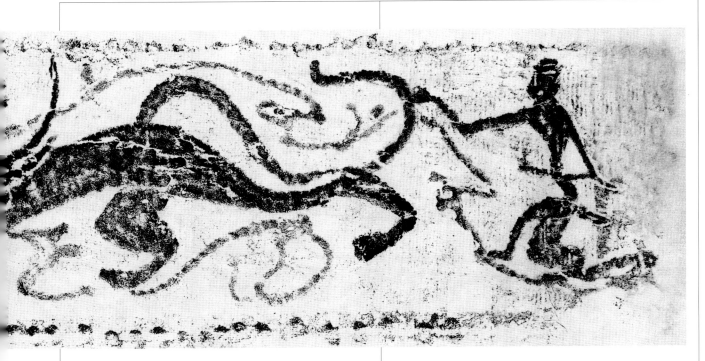

東漢（公元二五年至公元二二〇年）

樂舞百戲畫像石

東漢

河南南陽市宛城區瓦店
出土。

高40、寬238厘米。

畫面中部置建鼓，鼓兩側
伎人皆戴冠，着長襦大
褲，手執兩桴且鼓且舞。
兩側爲樂舞表演。

現藏河南省南陽漢畫館。

羽人 异獸畫像石

東漢

河南南陽市宛城區引鳳莊
出土。

高44、寬300厘米。

畫面中一仙人手持芝草作
豢龍狀，應龍張口欲食。
另外三异獸，皆獨角、虎
身、雙翼，騰于雲端。

現藏河南省南陽漢畫館。

施答 拜謁 争物
畫像石

東漢

河南南陽市出土。

高40、寬170厘米。

畫面左二人爲施答圖，中
三人爲拜謁圖，右二人爲
争物圖。

現藏河南省南陽漢畫館。

翼龍畫像石

東漢

河南南陽市出土。

高24、寬120厘米。

龍爲獸頭，肩生雙翼， 回首轉身作騰走狀。

現藏河南省南陽漢畫館。

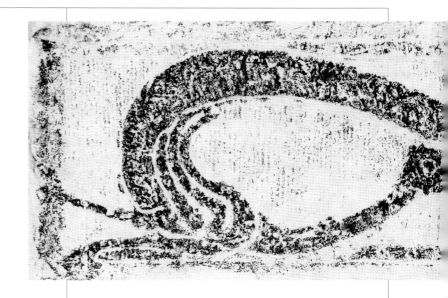

牛 虎 獅 羽人畫像石

東漢

河南南陽市出土。

高37、寬155厘米。

畫面自左至右爲奔牛、猛虎、雄獅和羽人，四周皆飾雲氣。

現藏河南省南陽漢畫館。

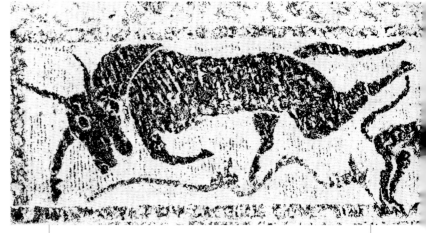

雲車畫像石

東漢

河南南陽市出土。

高46、寬125厘米。

雲中一輛雙鹿牽引的雲車正向右奔馳，内乘一尊者手持節，一馭者挽繮揚鞭。車後一仙鹿、兩羽人并行追隨。

現藏河南省南陽漢畫館。

東漢（公元二五年至公元二二○年）

象人鬥兕畫像石

東漢
河南南陽市出土。
高39、寬143厘米。
圖中一兕勁健長角，俯首奮蹄向象人衝抵，象人
身形矯健，揮動雙臂與兕力搏。
現藏河南省南陽漢畫館。

天馬　虎食鬼魅畫像石

東漢
河南南陽市出土。
高37、寬164厘米。
圖中左部爲一怪獸，似爲鬼魅。中部一虎，弓背
翹尾，張口噬食鬼魅左腿。右部一馬，有翼，當
爲天馬。
現藏河南省南陽漢畫館。

河伯出行畫像石

東漢
河南南陽市出土。
高40、寬140厘米。
畫面左刻一象和一熊狀獸。右刻一虎作爲前導，
其後刻三魚曳引雲車，車內乘坐兩人。
現藏河南省南陽漢畫館。

［ 畫像石 ］

二桃殺三士畫像石

東漢

河南南陽市出土。

高40、寬101厘米。

畫像描繪了春秋齊景公時期公孫接、田開疆和古冶子三位桀驁不遜的勇士中相國晏嬰之計，因計功爭景公賜桃而自殺的故事。

現藏河南省南陽漢畫館。

仙人神獸畫像石

東漢

河南南陽市出土。

高38、寬136厘米。

畫面中央一虎作進擊狀，右側一獸作防禦狀，左面刻一神异人物。《後漢書·禮儀中》注："虎者陽物，百獸之長，能擊鷙牲食魑魅者也。"

現藏河南省南陽漢畫館。

仙人神獸畫像石實物

仙人神獸畫像石拓片

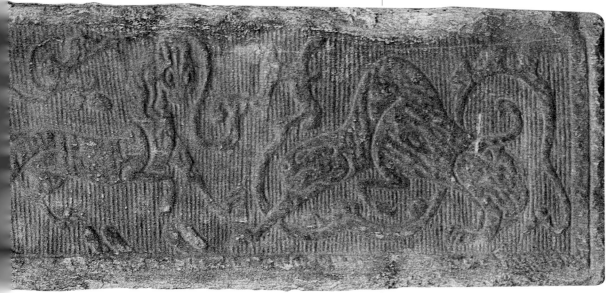

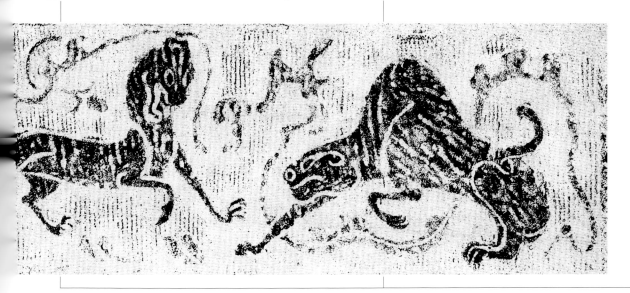

兕畫像石

東漢

河南南陽市出土。

高48、寬136厘米。

圖中兕角彎如尖刀，肢體肥碩，頭鬃叢生，俯首圓眼，尾巴翹揚，作怒觸狀。

現藏河南省南陽漢畫館。

桃拔畫像石

東漢

河南南陽市出土。

高40、寬140厘米。

畫面左部爲桃拔，體似鹿，頭生一角。《漢書·西域傳》孟康注：“桃拔一名符拔，似鹿，長尾。一角者或爲天鹿，兩角者或爲辟邪。”

現藏河南省南陽漢畫館。

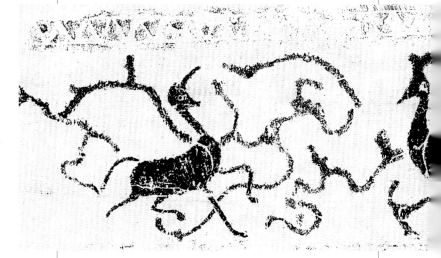

熊兕相鬥畫像石

東漢

河南南陽市出土。

高40、寬160厘米。

畫面左刻一兕，右刻一熊，兩者作相搏狀。

現藏河南省南陽漢畫館。

白虎星座畫像石

東漢

河南南陽市出土。

高60、寬121厘米。

虎身下方和前方有星宿，當爲西方的奎、婁、胃、昴、
畢、觜、參白虎七宿。

現藏河南省南陽漢畫館。

鬥牛畫像石

東漢

河南南陽市出土。

高42、寬102厘米。

畫面刻一蹲姿力士，赤裸上身，左手執匕首，側身欲
擲。牛驚恐回視，狂奔而逃。

現藏河南省南陽漢畫館。

伏羲畫像石

東漢

河南南陽市出土。

高140、寬45厘米。

圖中伏羲頭戴冠，蛇軀虎爪，雙手擁華蓋，柄纏綬帶，四周飾雲氣。

現藏河南省南陽漢畫館。

女媧畫像石

東漢

河南南陽市出土。

高130、寬32厘米。

圖中女媧頭梳高髻，尾捲曲，身生羽翼，手持仙草，周圍飾雲氣。

現藏河南省南陽漢畫館。

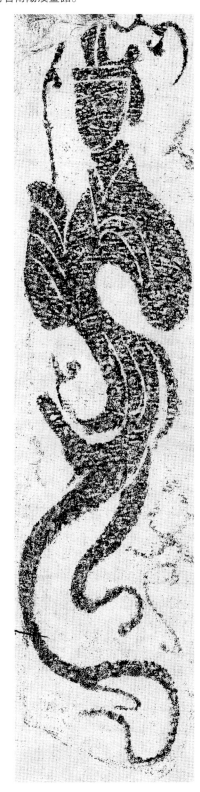

材官蹶張畫像石

東漢

河南南陽市出土。

高88、寬33厘米。

材官蹶張口含矢，雙手拉弦，雙足踏弓。

現藏河南省南陽漢畫館。

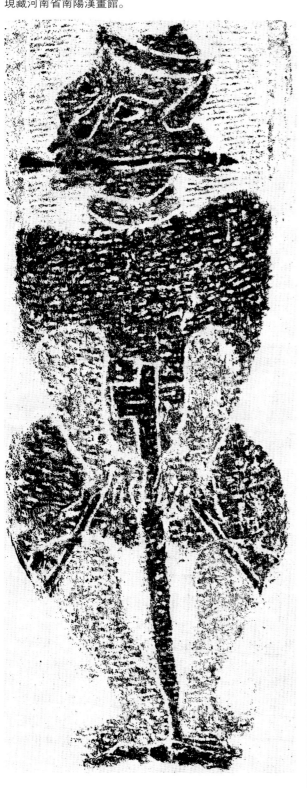

盤古　伏羲　女媧畫像石

東漢

河南南陽市出土。

高126、寬32厘米。

畫像下部刻一赤裸身軀的巨人，當爲盤古。盤古懷抱伏羲和女媧。

現藏河南省南陽漢畫館。

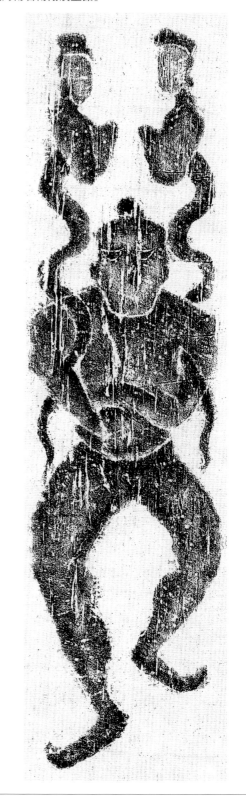

射鳥畫像石（左圖）

東漢

河南南陽市出土。

高151、寬31厘米。

圖中有一樹，上栖三鳥。樹下一人，高髻，長襦大褲，
折腰轉身張弓射鳥。

現藏河南省南陽漢畫館。

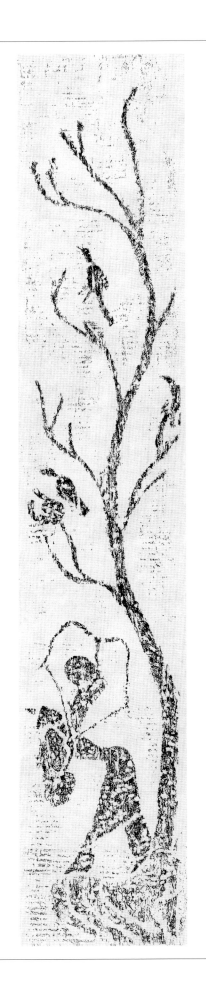

舞樂宴饗畫像石

東漢

河南南陽市出土。

高104、寬53厘米。

上部爲鼓舞者，下部刻肥鴨、魚和肉等食物。

現藏河南省南陽漢畫館。

執鉞門神畫像石

東漢

河南南陽市出土。

高122、寬49厘米。

畫面人物應爲門神。門神戴力士冠，着短襦短褲，面目猙獰，一手執鉞，一手揚起，作驅魔逐疫狀。

現藏河南省南陽漢畫館。

執鏡侍女畫像石

東漢

河南南陽市出土。

高80、寬36厘米。

畫面上部殘缺，疑爲神人下部。下跪一侍女，左手執壺，右手執鏡。

現藏河南省南陽漢畫館。

鼓舞畫像石

東漢

河南方城縣東關出土。

高170、寬90厘米。

畫面中部刻鼓，柱端加華蓋，柱間有兩橫木，兩人執桴
擊鼓起舞。下方刻三樂伎。

現藏河南省南陽漢畫館。

樂舞畫像石

東漢

河南方城縣東關出土。

高170、寬90厘米。

畫面上層三人跽坐奏樂，中層兩男伎對舞，下層主人
戴武冠憑几危坐。

現藏河南省南陽漢畫館。

應龍　熊畫像石

東漢

河南方城縣東關出土。

高170、寬92厘米。

畫面上部刻應龍，中部刻鋪首銜環，下部刻一熊。

現藏河南省南陽漢畫館。

鬥獸畫像石

東漢

河南方城縣東關出土。

高41、寬228厘米。

畫面爲一男子執斧鉞追逐一虎，左側一虎俯卧。

現藏河南省南陽漢畫館。

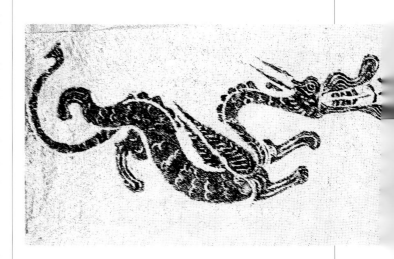

應龍　熊　閹牛畫像石

東漢

河南方城縣東關出土。

高41、寬228厘米。

圖左部刻應龍。右部刻一雄壯公牛，後一人，椎髻，裸
上身，一手托牛睾丸，另一手執環首小刀，躬身作閹割
狀。中部爲一奔熊。

現藏河南省南陽漢畫館。

蹶張畫像石

東漢

河南方城縣城關鎮出土。

高160、寬70厘米。

圖中蹶張口銜利矢，赤裸上身，跣足踏弩，雙手奮力拉弦。

現藏河南省南陽漢畫館。

人鬥二虎畫像石

東漢

河南方城縣城關鎮出土。

高40、寬227厘米。

畫面中一武士裸上身，帶尖頂帽，雙手奮力將猛虎上下顎分開，身後一虎已作馴服狀。

閹牛畫像石

東漢

河南方城縣城關鎮出土。

高40、寬200厘米。

畫面左刻一猿。中間一虎，騰身撲牛。牛後一閹牛者，
頭戴尖頂帽，裸上身，下穿短褲，左手執牛睪丸，右手
持刀，作閹割狀。

現藏河南省南陽漢畫館。

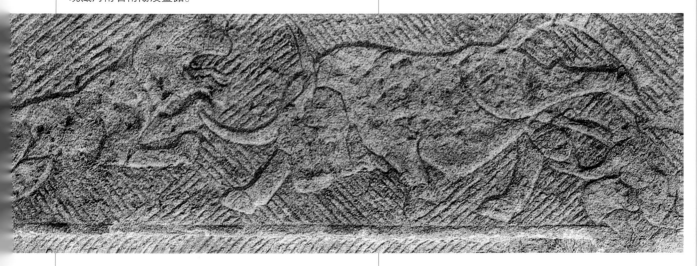

朱雀　白虎畫像石

東漢

河南方城縣東關出土。

高175、寬94厘米。

畫像由羽人飼朱雀、白虎、鋪首組成。

現藏河南省南陽漢畫館。

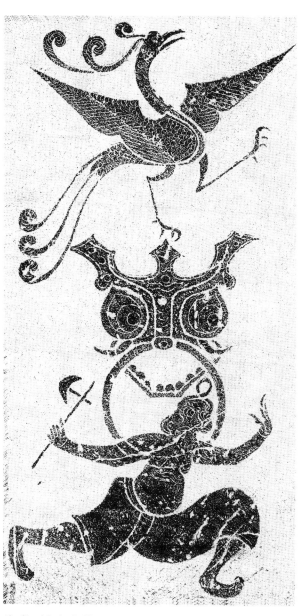

朱雀　神人畫像石

東漢

河南方城縣東關出土。

高170、寬90厘米。

畫面上部刻朱雀，中部刻鋪首，下部刻執鉞神人。

現藏河南省南陽漢畫館。

胡奴門畫像石

東漢

河南方城縣楊集鄉余莊村出土。

高126、寬43厘米。

畫面用陰綫刻成。胡奴頭髮竪起，左頰黥印，高鼻闊嘴，右手擁彗，左手執鉞，側身而立。

現藏河南省方城縣博物館。

牽犬畫像石

東漢

河南鄧州市長冢店墓出土。

高127、寬46厘米。

畫面中一犬頸套環索，昂首竪耳蹲坐于地。犬旁立一人，身體魁梧，雙手牽索。

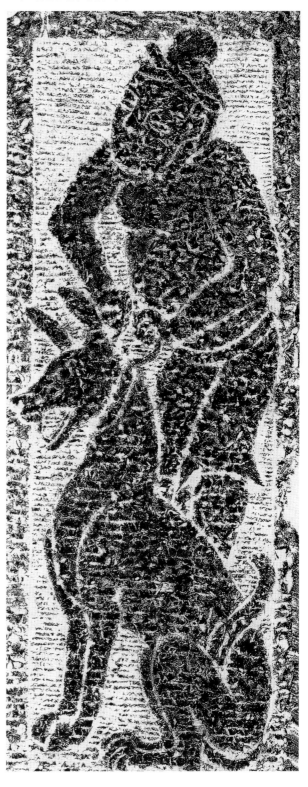

羈馬拜謁畫像石

東漢

河南鄧州市長冢店墓出土。

高126、寬46厘米。

畫面上部二人，一頭戴進賢冠者，拱手端立，另一執笏者，作跽跪拜謁狀。下部刻一披鞍駿馬。

驅魔逐疫畫像石

東漢

河南鄧州市長冢店墓出土。

高38、寬138厘米。

畫面右刻一熊人立，兩臂前推作縱虎之狀；其左猛虎張口撲向一熊。左刻一龍，曲頸回首。

騎射畋獵畫像石

東漢

河南鄧州市長冢店墓出土。

高44、寬164厘米。

畫面左二人圍獵一虎，右一人跨馬追逐一獸。

樂舞畫像石

東漢

河南鄧州市長冢店墓出土。

上高40、寬133厘米，下高41、寬131厘米。

上圖爲樂隊，分別爲鼓瑟、搖鼗、吹排簫、吹塤和擊鼓等。下圖刻雜技舞蹈場面。

樂舞畫像石之一

樂舞畫像石之二

虎 鬥鷄畫像石

東漢

河南登封市少室山東麓少室東闕北面出土。

圖中兩鷄伸頸啄鬥，左一虎或犬，張口延頸。

雙鳳穿璧畫像石

東漢

河南永城市固上村墓出土。
高26、寬235厘米。
畫面中部一璧，兩鳳長頸屈曲穿璧。兩側爲二鶴二獸。
現藏河南省商丘市博物館。

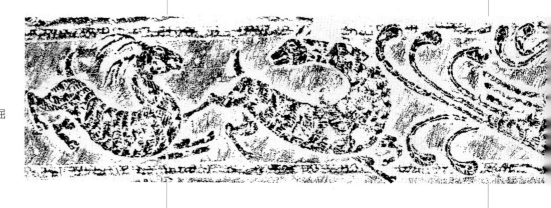

神獸畫像石

東漢

河南永城市固上村墓出土。
高44、寬230厘米。
畫面刻八獸，從左至右，第一、二、七、八基本相同，均爲鹿首，長頸，長尾；第三獸吻較長，虎身，雙角，有翼；第四獸長頸，鳥首鳥喙，虎肢爪；第五、六獸爲翼虎。
現藏河南省商丘市博物館。

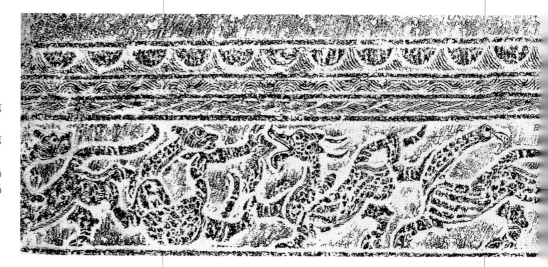

神獸畫像石

東漢

河南永城市酇城墓出土。
高47厘米。
畫面右部一獸僅存半身，其左一獸，鹿首曲頸，長尾有翼，呈飛騰狀。中部一獸，熊形，長尾，可能爲方相氏。左部一獸，弓背，垂尾，佝首使其頭半出其背。
現藏河南省商丘市博物館。

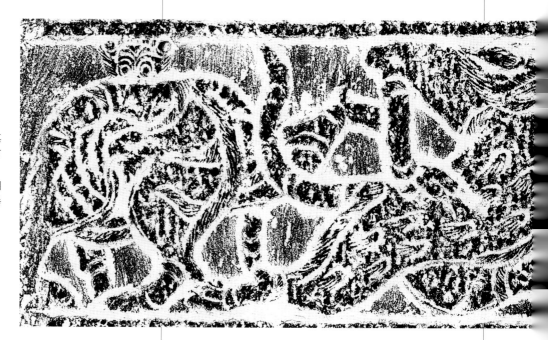

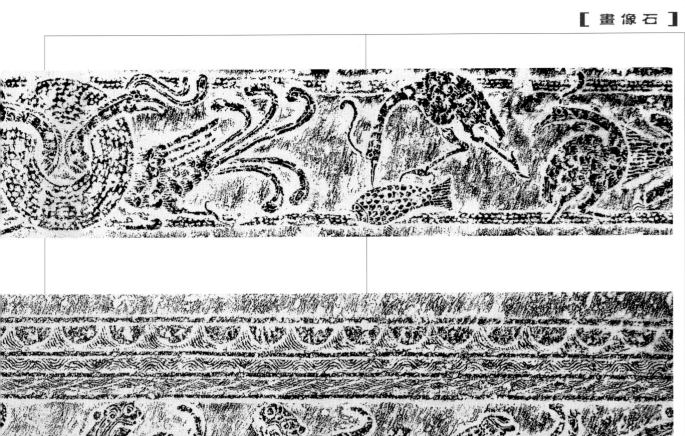

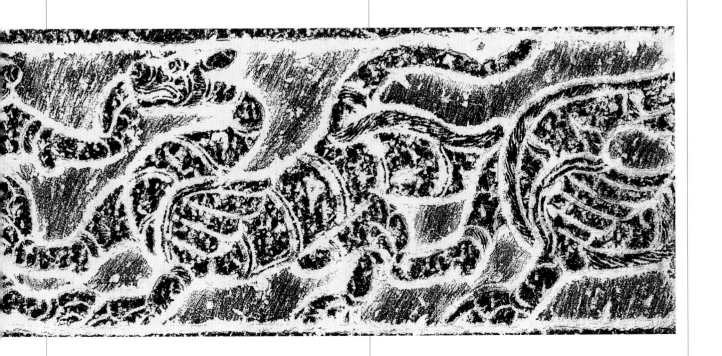

二龍穿璧畫像石

東漢

河南永城市酇城墓出土。

高44、寬240厘米。

畫面刻六璧，中置連弧紋鏡，二龍各以長軀交叉從璧中穿過。

現藏河南省商丘市博物館。

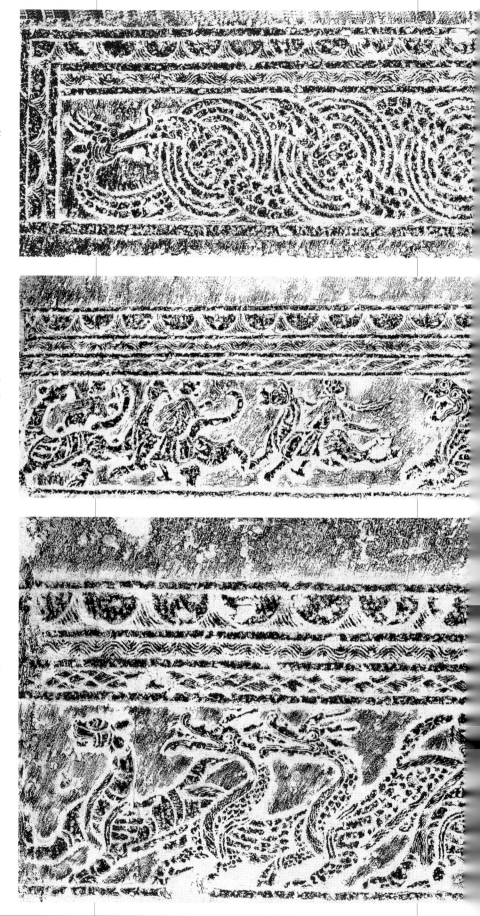

羽人騎神獸畫像石

東漢

河南永城市酇城墓出土。

高45、寬230厘米。

圖中八個羽人，皆長袍束腰，一手前伸，一手執鞭，分乘八頭神獸，向同一方向奔騰。

現藏河南省商丘市博物館。

應龍　翼虎畫像石

東漢

河南永城巿酇城墓出土。

高47、寬150厘米。

左部刻一翼虎，其後兩應龍；右部刻五隻翼虎，姿態各异。

現藏河南省商丘市博物館。

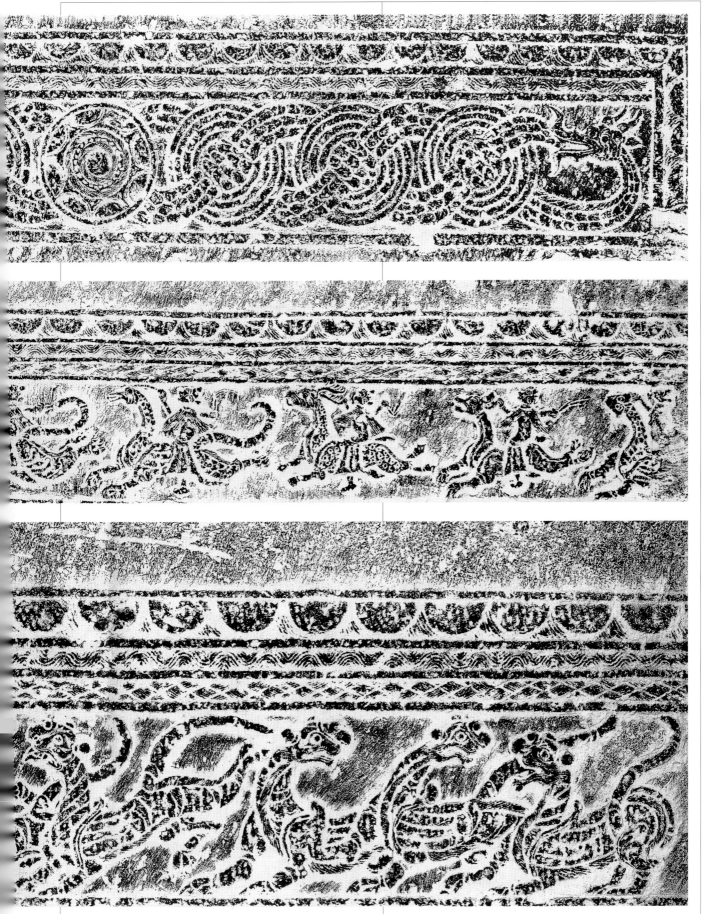

東漢（公元二五年至公元二二○年）

馴獸畫像石

東漢

河南永城市酇城墓出土。

高44、寬134厘米。

畫面中部一人，戴尖頂帽，着長襦，右手持矛指一獸，左手持鈎調理其左一獸，獸身軀似象，但頭生雙角。畫之左側刻翼虎，右側刻方相氏。

現藏河南省商丘市博物館。

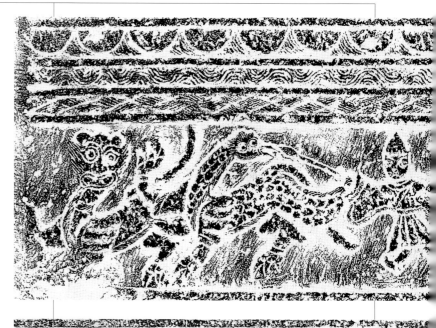

馴獸畫像石

東漢

河南永城市酇城墓出土。

高46、寬150厘米。

畫面左側刻一鳥，長喙、高冠羽，次刻一獸，龍首虎蹄，牛身有翼。中刻翼虎，其前一人一手抓虎下顎，一手掄錘；其側一人，一手揪虎耳，一手舉錘。右刻一牛呈奮力向前狀，一人于牛側，以右臂夾持牛肩胛。

現藏河南省商丘市博物館。

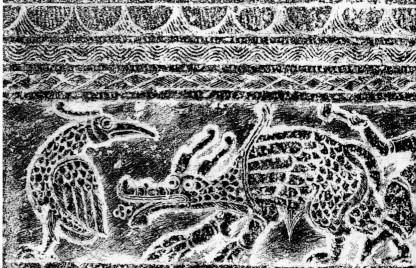

神獸畫像石

東漢

河南永城市出土。

高47、寬196厘米。

畫面左部二神獸，熊形，狀貌凶猛，呈奔走狀，似爲方相氏。中部一獸，垂首弓背，右後肢蹺起，似呈威作怒狀。右部一獸轉身後顧，一獸奔躍回首。

現藏河南省商丘市博物館。

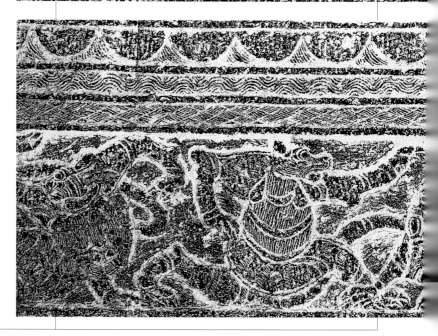

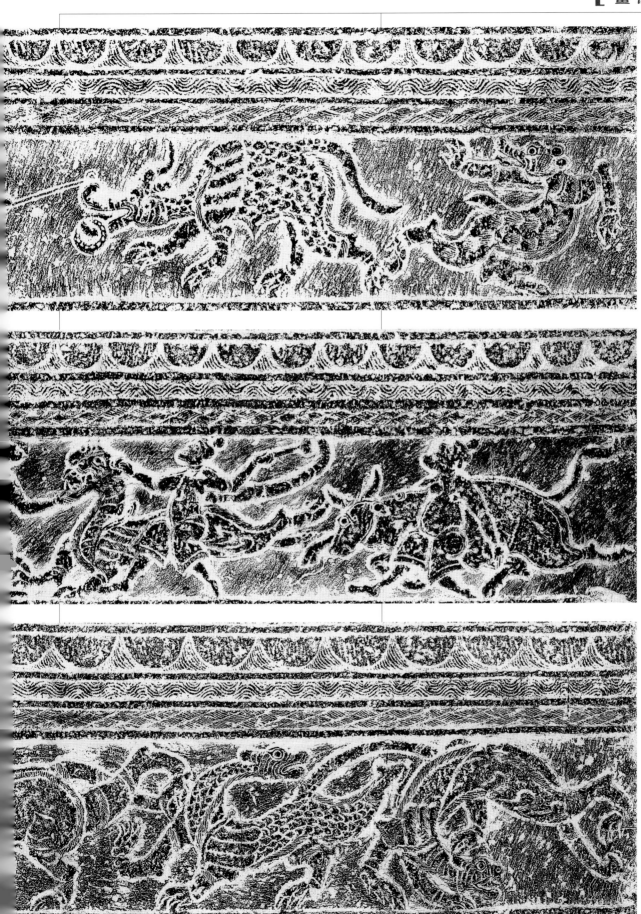

東漢（公元二五年至公元二二〇年）

墓門石刻畫像

東漢
河南新密市打虎亭1號墓出土。

門楣呈半圓形，一隻大鹿臥伏于中部，九隻小鹿圍繞在大鹿身旁；門額裝飾連續菱格和捲雲圖案；門扉中部雕鋪首銜環，周圍遍飾雲紋，仙禽神獸嬉戲其間。
現藏河南省新密市打虎亭漢墓管理處。

人物畫像石
東漢
河南新密市打虎亭1號墓出土。

高192、寬144厘米。
畫面爲三個頭戴平巾幘，身穿廣袖右衽博衣的人物，左側兩人作交談狀，右側一人袖手作背向靜聽狀。
現藏河南省新密市打虎亭漢墓管理處。

東漢（公元二五年至公元二二〇年）

人物畫像石

東漢

河南新密市打虎亭1號墓出土。

圖中四位人物皆頭戴平冠，身穿廣袖右衽寬衣，作兩兩
交談狀。

現藏河南省新密市打虎亭漢墓管理處。

觀刺交談畫像石

東漢

河南新密市打虎亭1號墓出土。

圖中右邊兩人坐于几後，一人右手持刺（即名帖）觀
看，另一人左手持物上舉，右手前伸。左邊兩人一人執
圓盤燈，另一人雙手于胸前拱手，作交談狀。

現藏河南省新密市打虎亭漢墓管理處。

侍女畫像石

東漢

河南新密市打虎亭1號墓出土。

圖中三侍女頭梳髮髻，身穿寬袖衣，作行走狀。中間侍

女雙手端盤。

現藏河南省新密市打虎亭漢墓管理處。

侍女畫像石
東漢
河南新密市打虎亭1號墓出土。
圖中三個侍女均頭梳髮髻，身着右衽博衣。其中左側一
人和中間一人似在交接物品。右側侍女右手伸向中間一
個侍女，似在遞物品。
現藏河南省新密市打虎亭漢墓管理處。

車馬　人物畫像石
東漢
河南新密市打虎亭1號墓出土。
高84、寬266厘米。
畫面上部刻七輛車，輜車五輛，軒車、輬車各一輛，
均無輪；下部刻五匹馬，作進食狀，其間刻三名着長
袍人物。
現藏河南省新密市打虎亭漢墓管理處。

侍女勞作畫像石

東漢

河南新密市打虎亭1號墓出土。

畫面刻十七位頭縮髮髻或裹布巾、着長袍的侍女各種勞
作的場面。

現藏河南省新密市打虎亭漢墓管理處。

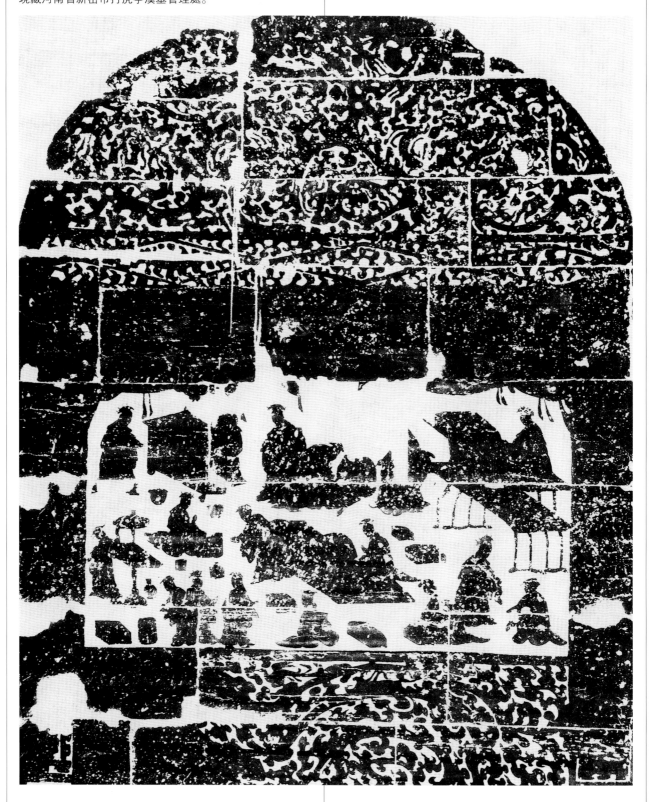

豆腐作坊畫像石

東漢

河南新密市打虎亭1號墓出土。

畫面刻畫了一組製作豆腐的全過程。整幅畫像依次表現
了浸豆、磨豆、過濾、點漿和鎮壓等製作豆腐的工序。

現藏河南省新密市打虎亭漢墓管理處。

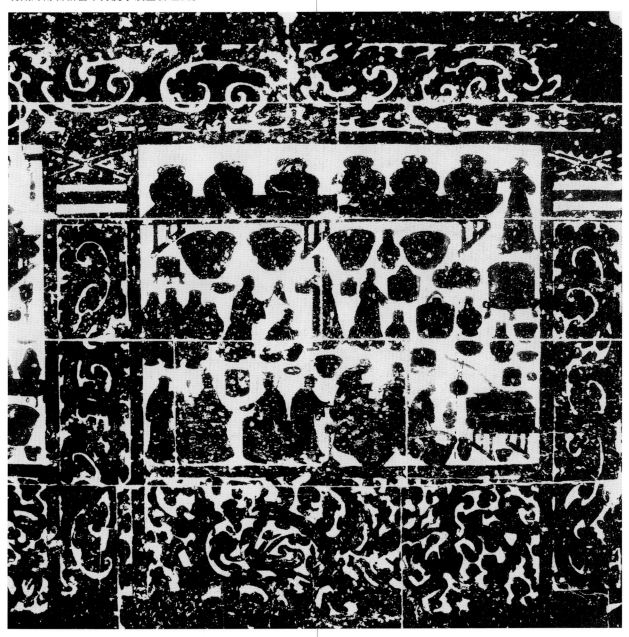

鹿紋畫像石

東漢

河南新密市打虎亭2號墓出土。

高92、寬174厘米。

畫面中央爲一臥鹿，昂首竪耳，目視前方，周圍繞以捲
雲紋及九隻姿態各異的小鹿。

現藏河南省新密市打虎亭漢墓管理處。

戲車

東漢

河南新密市打虎亭2號墓出土。

畫面上刻四馬駕戲車，上有一御手、二樂伎和五伎人。

現藏河南省新密市打虎亭漢墓管理處。

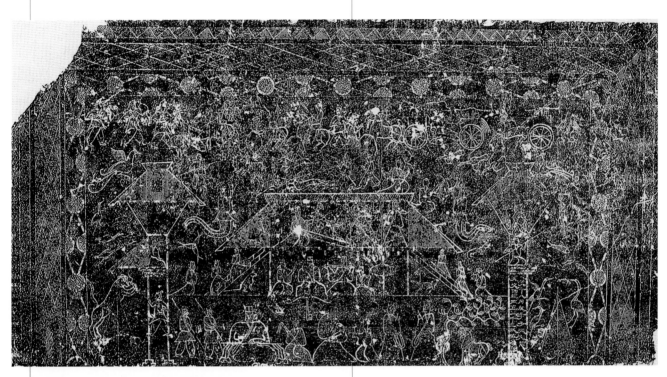

戰爭 伏羲女媧 樂舞百戲畫像石

東漢

山東肥城市欒鎮村出土。

高78、寬149厘米。

畫面上部刻胡漢戰爭、車騎。下部刻樓閣雙闕，樓頂左右刻伏羲、女媧；樓上、樓下有樂舞演奏。墓主憑几坐于樓前。闕柱有題刻"建初八年（公元83年）八月底……"。

現藏山東省石刻藝術博物館。

橋上墜車畫像石

東漢

出于山東濟南市長清區孝堂山石祠。

畫面表現馬車在橋上突遭襲擊，車及乘者墜于橋下。

現藏山東省濟南市博物館。

神話 出行 故事 樂舞 仙人畫像石

東漢

出于山東濟南市長清區孝堂山石祠。

高220、寬218厘米。

畫面由上下二石構成。畫面分六組。第一組爲持矩的伏
羲、風伯拔屋、雷神出行等神話傳說；第二組爲車騎出
行；第三組爲周公輔成王的故事；第四組爲樂舞宴飲；
第五組爲車騎人物；第六組爲仙人鳥獸。

現藏山東省濟南市博物館。

神异 車騎 戰争 狩獵畫像石

東漢

出于山東濟南市長清區孝堂山石祠。

高220、寬218厘米。

畫面自上而下分爲六組。第一組爲執規的女媧、貫胸人、西王母和靈异仙人；第二組爲車騎出行；第三組爲一列二十八人，皆恭立；第四組爲胡漢戰争場面；第五組爲場面宏大的狩獵活動；第六組爲六博、宴飲和拜謁人物。

現藏山東省濟南市博物館。

樓臺　人物畫像石

東漢

出于山東濟南市長清區孝堂山石祠。

高150、寬382厘米。

畫面共分四層。上層爲車騎出行圖，二層爲樓闕人物，

三層爲孔子見老子故事，四層爲車騎出行圖。

現藏山東省濟南市博物館。

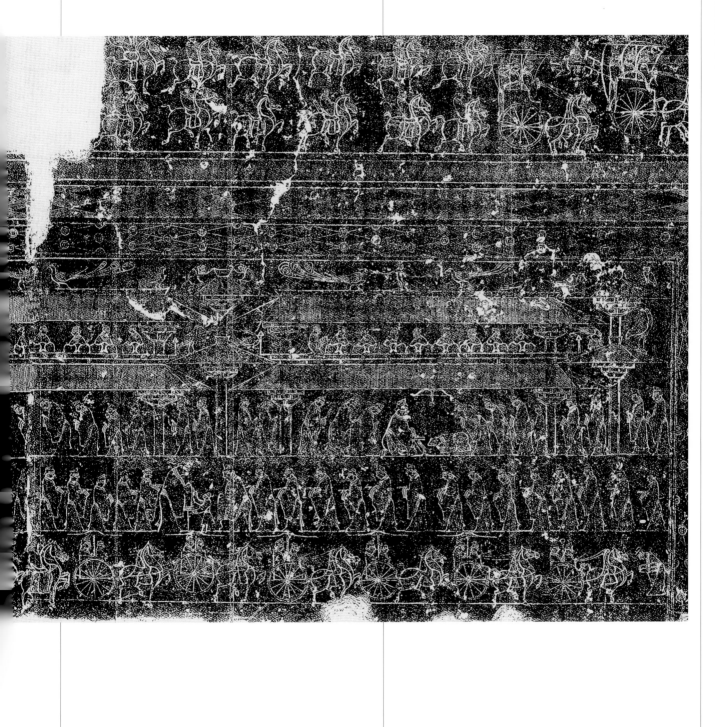

故事 車騎出行畫像石

東漢

出于山東濟南市長清區孝堂山石祠。
高88、寬218厘米。
畫像分上下兩組。上組刻泗水撈鼎故
事，下組刻車騎出行。
現藏山東省濟南市博物館。

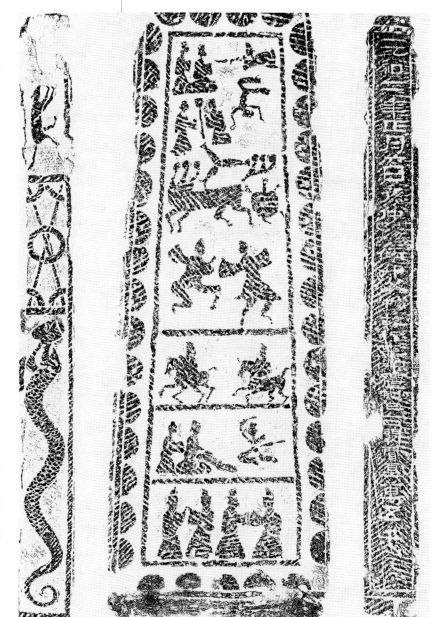

孫氏闕畫像石

東漢

山東莒南縣北園鎮東藍墩村出土。
高180、寬52-70、側寬18厘米。
左側上部刻一怪獸，中爲穿璧紋，下
爲人首蛇身圖案；右側上鐫"元和二
年（公元85年）正月六日……"；正
面分四層：第一層爲舞樂雜技，第二
層爲二騎吏，第三層刻一舞者及二撫
琴者，第四層爲四人對揖。
現藏山東省石刻藝術博物館。

人物　怪獸　射獵畫像石

東漢

山東平邑縣平邑鎮八埠頂出土。

高153、寬59厘米。

畫面共分五層。上層爲兩人首怪獸；二層爲殺戮場面；三層爲兩名騎獸執兵刃者；四層爲三僕侍奉一主；下層爲狩獵圖。

現藏山東省平邑縣博物館。

虎　鹿畫像石

東漢

山東莒南縣大店鎮出土。

高80、寬37厘米。

竪刻三奔鹿，其中畫面上部爲幼鹿，間刻一奔虎，形態樸拙。

現藏山東省莒南縣文物管理所。

拜謁　獻俘　射鳥畫像石

東漢

山東平邑縣平邑鎮八埠頂出土。

高153、寬70厘米。

畫面共分五層。首層拜謁圖，二層獻俘圖，三層對坐圖與駕鳥圖，四層持弩射鳥圖，五層迎候圖。

現藏山東省平邑縣博物館。

拜謁　庖厨　狩獵畫像石

東漢

山東平邑縣平邑鎮八埠頂出土。

高153、寬70厘米。

畫面共分五層。首層拜謁圖，二層叩拜圖，三層庖厨圖，四層施禮圖，五層狩獵圖。

現藏山東省平邑縣博物館。

建鼓舞 升鼎畫像石

東漢

山東平邑縣平邑鎮八埠頂出土。

高150、寬59厘米。

畫面共分四層。首層爲四人執笏拜會場面；二層爲兩人分別騎駱駝和象左行；三層爲建鼓舞；末層殘缺，所刻爲升鼎圖。

現藏山東省平邑縣博物館。

伏羲 女媧 樂舞百戲畫像石

東漢

山東平邑縣平邑鎮八埠頂出土。

高153、寬70厘米。

畫面共分五層。首層爲神人擁伏羲、女媧圖，二、三層爲出行圖，四層爲樂舞百戲圖，五層爲迎候圖。

現藏山東省平邑縣博物館。

東漢（公元二五年至公元二二〇年）

百戲　車騎畫像石

東漢

山東滕州市龍陽店出土。

高97、寬94厘米。

上層中樹一高竿建鼓，下有兩人擊鼓，兩人倒立，竿頂有一人蹲姿，兩人對舞；建鼓兩旁有搖鼗、跳舞、飛劍和跳丸表演。下層爲車騎出行圖。

現藏山東省石刻藝術博物館。

鋪首　鳳鳥　雙馬畫像石

東漢

山東滕州市龍陽店出土。

高100、寬99厘米。

畫面上層爲鳳鳥、爬猴及鋪首銜環圖案；下層爲雙馬相對，左側一人扶杖而立，右側一人執箕和鏟，彎身揀糞。

現藏山東省石刻藝術博物館。

狩獵　紡織　車騎畫像石
東漢
山東滕州市龍陽店出土。
高97、寬110厘米。
畫面分三層。首層狩獵圖，二層紡織圖，三層車騎出
行圖。
現藏中國國家博物館。

東漢（公元二五年至公元二二〇年）

群獸 車騎出行畫像石

東漢

山東滕州市龍陽店出土。

高95、寬276厘米。

畫面分兩層。上層刻群獸；下層刻車騎出行，其中導騎一、軺車一、輜車四和從騎五，左側亭下有一捧盾擊鼓者。

現藏山東省石刻藝術博物館。

樓閣莊園 車騎畫像石

東漢

山東滕州市龍陽店出土。

高77、寬139厘米。

畫面分兩層。上層表現樓臺內賓客盈門及垂釣、織布和兵庫等場面，下層爲車馬出行場面。

現藏山東省石刻藝術博物館。

東漢（公元二五年至公元二二〇年）

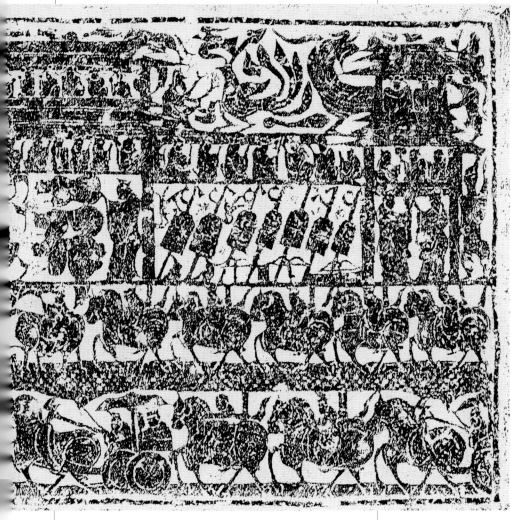

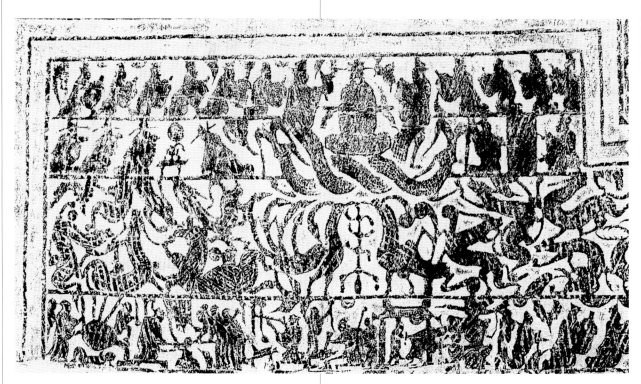

西王母 鳥獸 冶鐵畫像石

東漢

山東滕州市駁山頭出土。

高80、寬144厘米。

畫面分爲四層。第一、二層刻畫西王母及衆人跪奉、宴飲和六博等場面，第三層爲奇禽異獸圖，第四層刻一冶鐵作坊的生產情景及門亭迎拜場面。

現藏中國國家博物館。

闕堂 人物 群獸畫像石

東漢

山東滕州市宏道院出土。

高80、寬210厘米。

畫面中央矗立重檐雙闕，闕前兩人作六博游戲，闕左側拴一馬，遠處有一廳堂，堂中有人物若干，堂頂立鳳鳥，周圍密刻龍、虎和鳳鳥等禽獸。

現藏山東省滕州市博物館。

招魂畫像石

東漢

山東滕州市官橋鎮出土。

高97、寬96厘米。

圖中一裸體神怪，雙目圓瞪，
微曲雙腿，脚踩雲氣，右手揮
斧，左手揚幡。

現藏山東省滕州市博物館。

四龍畫像石

東漢

山東滕州市官橋鎮東站村出土。

高88、寬77厘米。

畫面刻四龍，空白處刻雲紋。畫
面外圈飾垂帳紋。

現藏山東省滕州市博物館。

雙龍畫像石

東漢

山東滕州市官橋鎮東站村出土。

高86、寬78厘米。

畫面刻雙龍相戲。畫面外圈飾垂帳紋。

現藏山東省滕州市博物館。

庖厨 人物 水榭畫像石

東漢

山東滕州市崗頭鎮出土。

高84、寬151厘米。

畫面分兩層。上層爲捲雲紋；下層左部
爲庖厨場景，中部爲主僕場景，右部爲
水榭、垂釣和網魚等場景。

現藏山東省滕州市博物館。

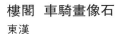

樹 鳥畫像石
東漢
山東滕州市崗頭鎮三山村出土。
高76、寬72厘米。
畫面中部刻一樹，有飛鳥栖息、
圍飛，下部刻兩隻動物。
現藏山東省滕州市博物館。

樓閣 車騎畫像石
東漢
山東滕州市莊里村出土。
高75、寬137厘米。
畫面分爲三層。上層中間爲一樓
堂，樓上賓客滿堂，男女主人端
坐；樓下門口左右各一持戟門
卒，盾、戟兵器挂在兩旁；樓
左、樓右禽獸成群。中層爲十二
騎出行。下層爲五車出行。
現藏山東省滕州市博物館。

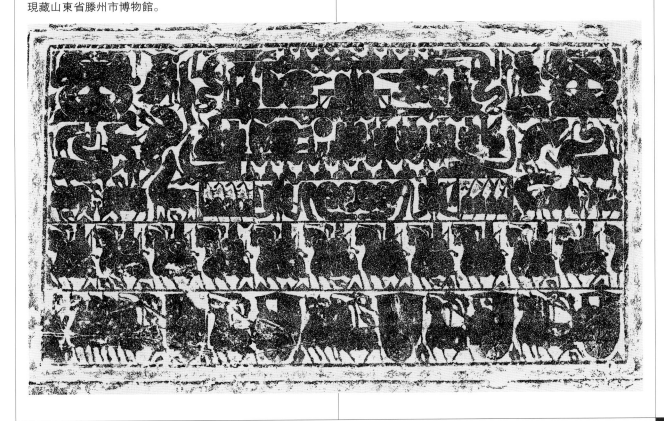

東漢（公元二五年至公元二二〇年）

歷史故事 東王公 西王母 畫像石

東漢
山東滕州市官橋鎮後掌大出土。
高96、寬255厘米。
畫面上下兩層。上層爲周公輔成王、
二桃殺三士等歷史故事，下層爲東王
公、西王母等仙人神獸畫像。
現藏山東省滕州市博物館。

力士 孔子見老子 車騎出行 升 鼎畫像石

東漢
山東滕州市官橋鎮後掌大出土。
高94、寬255厘米。
畫面上下兩層。上層左部爲衆力士，
右部爲孔子見老子；下層左部爲一列
人物和車騎出行，右部爲泗水升鼎。
畫面外飾一周三角紋。
現藏山東省滕州市博物館。

東漢（公元二二五年至公元二二〇年）

西王母　牛羊車畫像石

東漢

山東滕州市桑村鎮大郭村出土。

高74、寬74厘米。

畫面上下兩層。上層爲西王母、伏羲、女媧、九尾狐和跽坐侍者等，下層爲牛車和羊車出行圖。

現藏山東省滕州市博物館。

廳堂　人物　車騎出行畫像石

東漢

山東滕州市桑村鎮大郭村出土。

高75、寬129厘米。

畫面上下兩層。上層一樓房，樓上四人并坐，樓下爲迎賓人物；下層爲車騎出行圖。

現藏山東省滕州市博物館。

神人　龍　人物畫像石

東漢

山東滕州市孔集出土。

高118、寬32厘米。

畫面上下兩層。上層刻一神人，蹲姿，雙手上舉；下層刻二龍，二人物相對，間飾雲紋。

現藏山東省滕州市博物館。

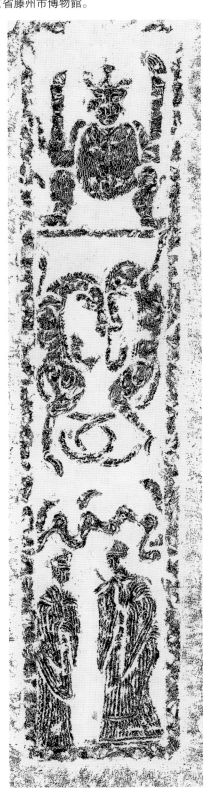

鳳鳥　騎士　人物畫像石

東漢

山東滕州市孔集出土。

高118、寬45厘米。

畫面分爲三層。上層一鳳鳥，中層一騎吏，下層爲兩人對話。

現藏山東省滕州市博物館。

東漢（公元二五年至公元二二〇年）

人面龍　車騎出行畫像石
東漢
山東滕州市東寺院出土。
高83、寬67厘米。
上層爲三龍身共一頭，人面；下層
一騎、一車和一步卒出行。
現藏山東省滕州市博物館。

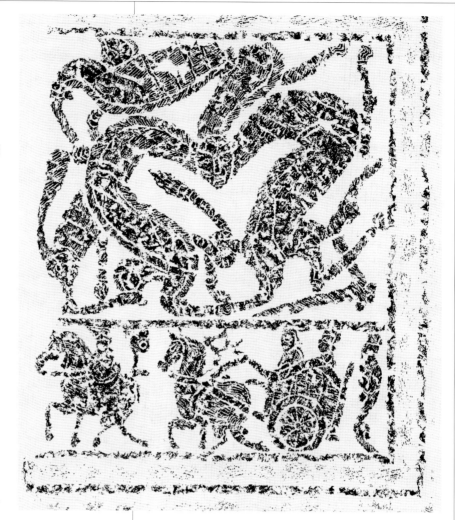

群龍　車騎出行畫像石
東漢
山東滕州市東寺院出土。
高86、寬273厘米。
畫面分兩層。上層爲群龍，左下
角有兩騎吏；下層爲車騎出行圖。
現藏山東省滕州市博物館。

四龍畫像石

東漢

山東滕州市東寺院出土。

高81、寬61厘米。

畫面刻四龍盤繞。

現藏山東省滕州市博物館。

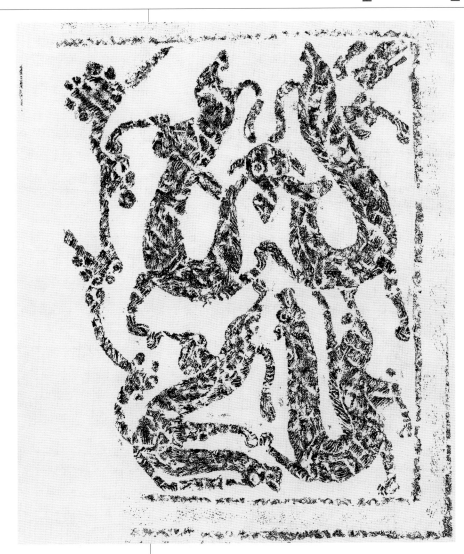

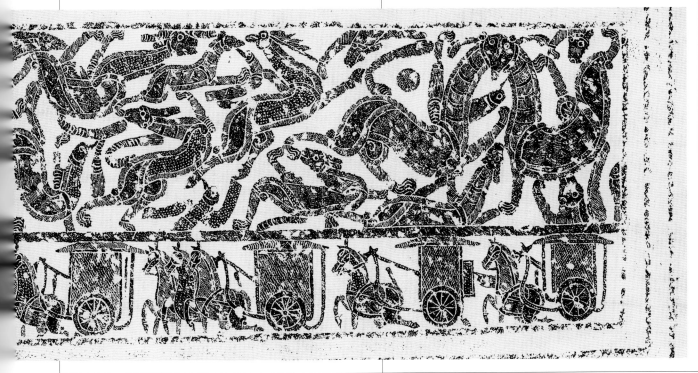

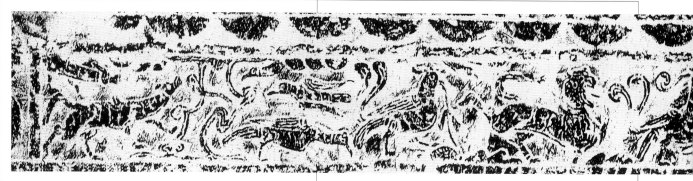

仙禽神獸畫像石（上圖）

東漢
山東滕州市劉堌堆村出土。
高35、寬278厘米。

畫面中部兩鳳鳥引頸相對，左右有龍、虎、飛鳥和异獸，間飾雲紋。
現藏山東省滕州市博物館。

戰事 車騎畫像石（中圖）

東漢
山東滕州市萬莊出土。
高36、寬193厘米。
畫面分爲兩層。上層畫像主要描寫胡漢戰爭。兩列騎

兵衝殺，飛矢如雨，左側山包中有執弓的胡兵，右側有漢軍車馬；中有一門樓，上下各有兩人，門樓右上方懸胡人首級。下層爲車騎出行圖。
現藏山東省石刻藝術博物館。

胡漢交戰畫像石

東漢

山東滕州市桑村鎮西戶口村出土。

高23、寬151厘米。

畫面爲胡漢兩軍交戰場景。畫面右端漢軍設望樓，樓前

二弓手，二騎兵追趕胡兵，二胡騎回頭還擊，倉皇逃
遁；左端一卒向胡將跽報戰況，身後起伏的山巒中有埋
伏的胡兵；下方步卒列隊相峙。

現藏山東省滕州市博物館。

西王母 講經 車騎畫像石

東漢

山東滕州市桑村鎮西户口村出土。

高82、寬83厘米。

分爲八層。第一層刻西王母；第二層爲兩隻九尾狐和四異獸；第三層爲講經圖；第四至六層，中樹建鼓，兩邊爲舞者、樂隊、觀者和六博者；第七層爲七騎者負弓箭左向行；第八層爲牛車、羊車與馬車左向行。

現藏山東省滕州市博物館。

西王母　百戲畫像石
東漢
山東滕州市桑村鎮西户口村出土。
高83、寬83厘米。
上層西王母居中端坐，下層刻滿百戲、樂舞、建鼓、六
博和庖厨人物。
現藏山東省石刻藝術博物館。

人物　鳥獸畫像石

東漢

山東滕州市桑村鎮西户口村出土。

高153、寬47厘米。

畫面分七層，從上至下依次爲：九頭人面獸，鹿車出行，持械格鬥，執筆出行，人物、牛車出行及踏弓蹶張圖案。畫面左上邊刻有"延光元年（公元122年）八月十六日"題銘。

現藏山東省滕州市博物館。

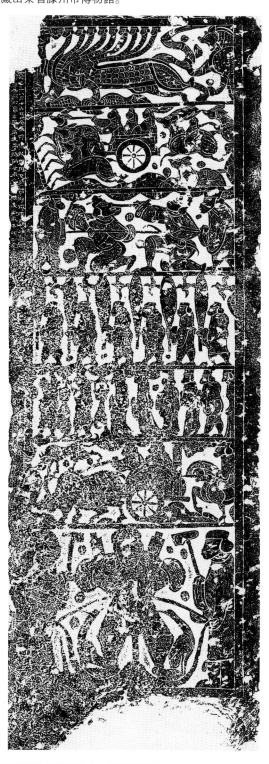

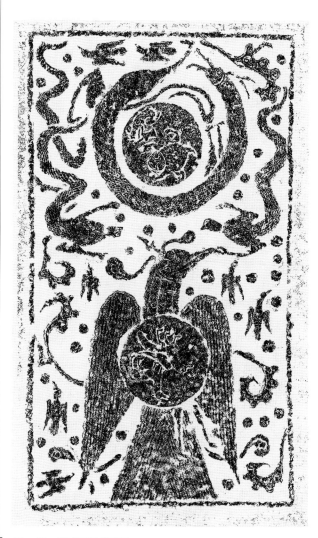

日　月　星相畫像石

東漢

山東滕州市官橋鎮大康留莊出土。

高180、寬85厘米。

畫面上刻一月輪，內有蟾蜍、玉兔，月輪外繞一龍，兩側爲伏羲、女媧；下部刻一大鳥，鳥背負日輪，日輪內刻一隻三足鳥，間飾雲氣、群星及神鳥。

現藏山東省滕州市博物館。

翼龍 駱駝 大象畫像石

東漢

山東微山縣兩城鎮出土。

高56、寬97厘米。

畫面分兩層。上層刻翼龍、駱駝和大象，象後立一人執象尾；下層爲車騎出行圖。

現藏山東省曲阜市孔廟。

建鼓 雜技畫像石

東漢

山東微山縣兩城鎮出土。

高72、寬141厘米。

畫面分兩層。上層爲白虎、羽人飼鳳鳥等場景，下層爲建鼓、樂舞和雜技等場面。

現藏山東省曲阜市孔廟。

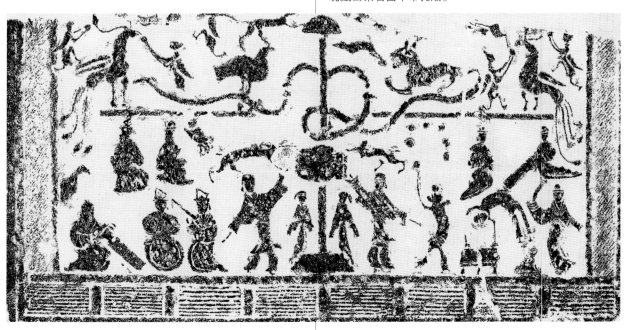

水榭人物畫像石

東漢

山東微山縣兩城鎮出土。

高94、寬92厘米。

畫面分爲兩層。上層四個披髮仙人騎獸向左行，下層刻
水榭樓臺、垂釣、觀魚、人首鳥身神醫治病和六博等。
現藏山東省曲阜市孔廟。

奔鹿 水榭人物畫像石

東漢

山東微山縣兩城鎮出土。

高90、寬88厘米。

畫面分兩層。上層爲四鹿左向奔跑，下層刻四阿頂帶欄
的水榭、划槳、射鳥、撒網捕魚、觀賞和垂釣等。

現藏山東省曲阜市孔廟。

异獸 人物 連理樹畫像石

東漢

山東微山縣兩城鎮出土。

高94、寬90厘米。

畫面分爲三層。上層爲四神獸，右邊一隻上騎仙人；中層爲七人列坐候醫，人首鳥身神醫居右側；下層爲連理樹，群猴嬉戲其上，樹下爲人與馬羊。

現藏山東省曲阜市孔廟。

西王母 伏羲 女媧畫像石
東漢
山東微山縣兩城鎮出土。
高67、寬56.5厘米。

圖中西王母端坐中央，頭上有一鳥，兩肩浮捲雲，其右刻"西王母"三字。左右分別爲伏羲、女媧，兩者蛇尾交盤，手持便面，尾連二朱雀。
現藏山東省微山縣文化館。

東漢（公元二五年至公元二二〇年）

戲猿 熊 虎畫像石

東漢
山東微山縣兩城鎮出土。
高94、寬196厘米。
畫面分爲兩層。上層爲捲雲紋；下層左部爲人物戲一似猿怪獸圖，下層右部爲熊、虎相戲圖。
現藏山東省曲阜市孔廟。

狩獵 車騎畫像石

東漢
山東微山縣兩城鎮出土。
高53.5、殘寬180厘米。
畫面上層刻狩獵圖，三人架鷹、三人持弩和四人執筆，有四隻獵犬跟隨；下層爲一組車馬出行場面。
現藏山東省曲阜市孔廟。

廳堂 人物 建鼓畫像石

東漢
山東微山縣兩城鎮出土。
高81、寬138厘米。

畫面分爲兩層。上層中部一廳堂，旁有兩亭，堂內主人
端坐，左右各有兩人拜謁；下層爲建鼓舞。
現藏山東省微山縣文化館。

東漢（公元二五年至公元二二〇年）

胡漢交戰畫像石

東漢

山東沂南縣北寨村出土。

高36、寬290厘米。

畫面爲胡漢兩軍交戰場景。畫面中部爲一座兩柱支撐的
大橋，橋兩端立望柱。二十一個執刀、盾和四個持鉞的
漢兵左向行進于橋上。橋右一四維軺車，乘一督戰官吏
和一御者。車前、後各二導、從騎吏跟隨步卒前進。橋
左邊有胡騎，胡卒執刀、拉弓箭右行翻越重叠山巒。胡
漢雙方在橋左邊展開激戰，數胡卒斷頭、橫尸。

現藏山東省沂南漢墓博物館。

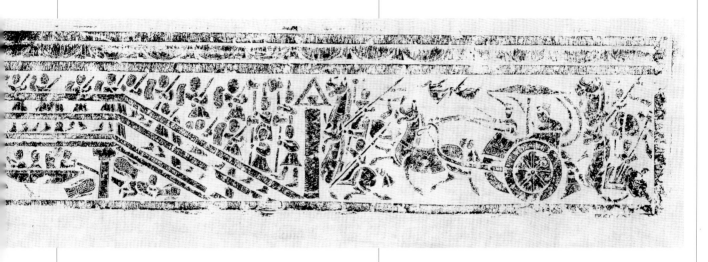

奇禽　异獸　神怪畫像石

東漢

山東沂南縣北寨村出土。

高50、寬284厘米。

畫面上邊飾鋸齒紋、垂帳紋，下邊飾內填獸首、蓮花的
寬帶三角紋和鋸齒紋。畫像刻奇禽、异獸和神怪。

現藏山東省沂南漢墓博物館。

伏羲 女媧 神人畫像石

東漢

山東沂南縣北寨村出土。

高123、寬37厘米。

畫面上部刻高禖神，以雙臂強力環抱伏羲和女媧，神肩後有一規一矩。下部刻東王公，戴勝，肩有雙翼，合雙手端坐于束腰仙山上，左右各有一仙人搗藥跪侍，下有一龍穿行。

現藏山東省沂南漢墓博物館。

神怪 西王母畫像石

東漢

山東沂南縣北寨村出土。

高123、寬42厘米。

畫面上部刻一怪獸，虎面，口大張，圓腹，蹲伏于一老虎背上。下部刻西王母，戴勝，肩有雙翼，合雙手坐于束腰仙山之上，兩側有玉兔執杵搗藥，下有一虎穿行。

現藏山東省沂南漢墓博物館。

神怪 羽人 异獸畫像石

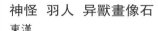

東漢

山東沂南縣北寨村出土。

高110、上端寬23.5、下端寬25.5厘米。

此圖爲沂南漢墓前室八角立柱畫像。八面各刻一列上下
相叠的神怪、羽人和异獸。

現藏山東省沂南漢墓博物館。

青龍畫像石

東漢

山東沂南縣北
寨村出土。

高120、寬27
厘米。

畫面邊框飾鋸
齒紋，内刻青
龍一條，蜿蜒
上行。

現藏山東省沂南
漢墓博物館。

神怪　瑞獸畫像石

東漢

山東沂南縣北寨村出土。

高123、寬46厘米。

畫面上部爲一蹲踞的虎首神怪；中刻一虎站立,如人
狀；下刻一龍上行；四周飾以鋸齒紋和捲雲紋。

現藏山東省沂南漢墓博物館。

武器庫　小吏畫像石

東漢

山東沂南縣北寨村出土。

高123、寬46厘米。

畫面分爲兩層，上層刻武器庫，下層刻看管武器庫的
小吏。

現藏山東省沂南漢墓博物館。

羽人　瑞獸畫像石

東漢

山東沂南縣北寨村出土。

高123、寬51厘米。

畫面上部爲一羽人騰空而起，左手按一翼獸的尾部；中
部爲一龍一鳳；下部爲一帶翼的瑞獸。

現藏山東省沂南漢墓博物館。

藺相如故事
畫像石

東漢
山東沂南縣北寨村
出土。
高118、寬70厘米。
根據榜題"藺相
如"、"孟犇"，
畫面表現的應是藺
相如完璧歸趙的歷
史故事。
現藏山東省沂南漢
墓博物館。

晋靈公畫像石

東漢

山東沂南縣北寨村出土。

高120、寬68厘米。

畫面分兩層。上層左一人佩劍，雙手張弓，榜題"晋靈公"，其足前一犬躍起前撲，榜題"敖也"；右側人物左手握劍，右手作防衛狀，此幅當爲晋靈公欲殺趙盾的故事。下層兩人物作對峙狀，有榜無題。

現藏山東省沂南漢墓博物館。

吊唁祭祀畫像石

東漢

山東沂南縣北寨村出土。

高48、寬185厘米。

圖中衆祭者肅穆虔誠，鞠躬而立或拜伏于地，都是墓
主人生前的從官屬吏。

現藏山東省沂南漢墓博物館。

吊唁祭祀畫像石

東漢

山東沂南縣北寨村出土。

高48、寬185厘米。

圖中右端一門樓，門前置一几，几上有簡冊，屋前一人
執彗，二人執梃，一吏跪地讀祭文，左側爲十餘名跪地
吊唁者。

現藏山東省沂南漢墓博物館。

出行圖畫像石

東漢
山東沂南縣北寨村出土。
高50、寬192厘米。

畫面表現車馬出行的盛大場面。畫面上部飾鋸齒紋、勾連捲雲紋和垂帳紋，下部飾鋸齒紋。
現藏山東省沂南漢墓博物館。

出行圖畫像石之一

出行圖畫像石之二

百戲畫像石

東漢

山東沂南縣北寨村出土。

高48、寬236厘米。

畫面自左而右分爲三組。第一組左部刻藝人飛劍擲丸、頂橦懸竿和七盤舞，右部刻二組伴奏樂隊；第二組刻魚龍曼衍之戲，有龍戲、魚戲、豹戲和雀戲；第三組刻馬戲和車戲。

現藏山東省沂南漢墓博物館。

豐收庖厨畫像石
東漢
山東沂南縣北寨村出土。
高50、寛190厘米。
圖中左端刻一廡殿頂重檐倉房，房前場院堆三堆糧食，
另有三架運糧牛車，糧堆旁爲收糧農夫；右端刻畫的是
一組庖厨場面。
現藏山東省沂南漢墓博物館。

西王母 歷史故事 車騎畫像石

東漢
出于山東嘉祥縣武宅山村武氏祠。
高184、寬140厘米。

畫面用捲雲紋、雙菱紋和連弧紋等組成的花紋帶或橫綫
隔爲五層。描繪西王母、帝王圖像，孝子、刺客故事及
車騎出行等內容。圖像及故事皆有榜題。
現藏山東省嘉祥縣武氏祠文物管理所。

東王公　孝孫原穀　聶政刺韓王畫像石

東漢

出于山東嘉祥縣武宅山村武氏祠。

高184、寬139厘米。

畫面分五層。第一層刻東王公及羽人神怪，第二層刻梁節姑娣等列女故事，第三層刻孝孫原穀等孝義故事，第四層刻聶政刺韓相等故事，第五層刻迎候及庖廚圖。

現藏山東省嘉祥縣武氏祠文物管理所。

車騎出行畫像石

東漢

出于山東嘉祥縣武宅山村武氏祠。

高51、長352厘米。

左端一人執笏恭迎，前有兩導騎；依次三輛輜車，榜題
"門下賊曹"、"門下游徼"和"門下功曹"；又兩騎
吏、兩步卒；第四輛輜車蓋繫四維，榜題"令車"，
爲隊伍主車；其後有執棒騎從，一輜車，榜題"主簿
車"。右端一人恭立相送。

現藏山東省嘉祥縣武氏祠文物管理所。

孔子與老子畫像石

東漢

出于山東嘉祥縣武宅山村武氏祠。

高37、寬169厘米。

畫面中部兩人均戴斜頂高冠，略微躬身，孔子在左，老子在右，相向而立。孔子身後榜題"孔子也"，軒車題曰"孔子車"。老子身後榜題"老子"，輜車無榜題。

現藏山東省濟寧市博物館。

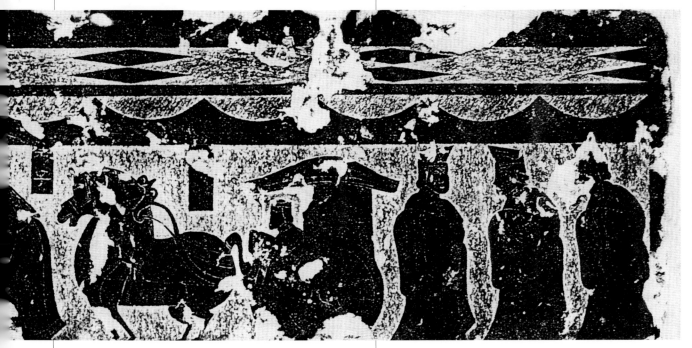

東漢（公元二五年至公元二二〇年）

水陸攻戰　車騎畫像石

東漢

出于山東嘉祥縣武宅山村武氏祠。

高96、寬203厘米。

畫面上層刻車騎圖，下層刻水陸攻戰圖。

現藏山東省嘉祥縣武氏祠文物管理所。

東王公　孔子弟子畫像石

東漢

出于山東嘉祥縣武宅山村武氏祠。

高117、寬203厘米。

畫面上層刻東王公、羽人和异獸，中層刻孔子弟子像，下層刻車騎圖。

現藏山東省嘉祥縣武氏祠文物管理所。

水陸攻戰畫像石

東漢

出于山東嘉祥縣武宅山村武氏祠。

高99、寬212厘米。

圖中頂部飾雙菱紋、絢紋和連弧紋花帶，其下表現激烈的水陸攻戰場面。

現藏山東省嘉祥縣武氏祠文物管理所。

荆軻刺秦王畫像石

東漢

出于山東嘉祥縣武宅山村武氏祠。

高70、寬94厘米。

畫面分三層。上層刻荆軻刺秦王故事，中層和下層刻車
騎出行圖。

現藏山東省嘉祥縣武氏祠文物管理所。

踞坐 車騎畫像石

東漢

出于山東嘉祥縣武宅山村武氏祠。

高70、寬73厘米。

畫面分四層。第一層刻鳥首和獸首捲雲紋，第二層刻八
名婦人踞坐場面，第三、四層刻車騎出行場面。

現藏山東省嘉祥縣武氏祠文物管理所。

羽人 孝子故事 車騎出行畫像石

東漢

出于山東嘉祥縣武宅山村武氏祠。

高70、寬73厘米。

畫面分四層。第一層刻飛鳥、羽人和捲雲紋，第二層刻
嘉禾、莫莢和羽人等祥瑞紋飾，第三層刻丁蘭刻木和邢
渠哺父孝子故事，第四層刻車騎出行場面。

現藏山東省嘉祥縣武氏祠文物管理所。

樓闕人物　車馬出行畫像石

東漢

出于山東嘉祥縣武宅山村武氏祠。

高70、寬169厘米。

畫面分兩層。上層爲樓闕、人物拜謁、射鳥等場景，下層爲車馬出行圖。

現藏山東省嘉祥縣武氏祠文物管理所。

東漢（公元二五年至公元二二〇年）

天罰畫像石

東漢

出于山東嘉祥縣武宅
山村武氏祠。

高121、寬215厘米。

畫面分四層。第一、
第三層刻神人出行場
面，第二層刻雷公天
罰罪人場面，第四層
刻天帝圖。

現藏山東省嘉祥縣武
氏祠文物管理所。

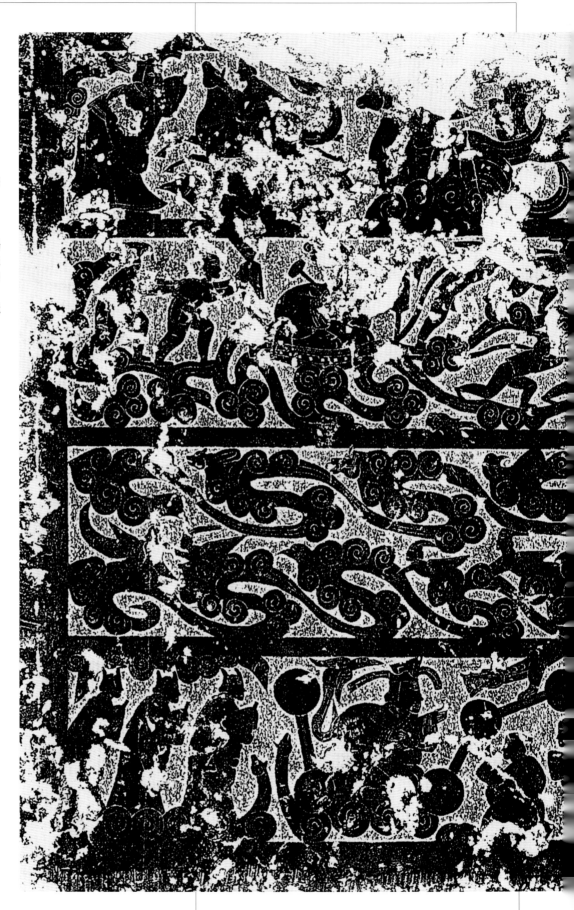

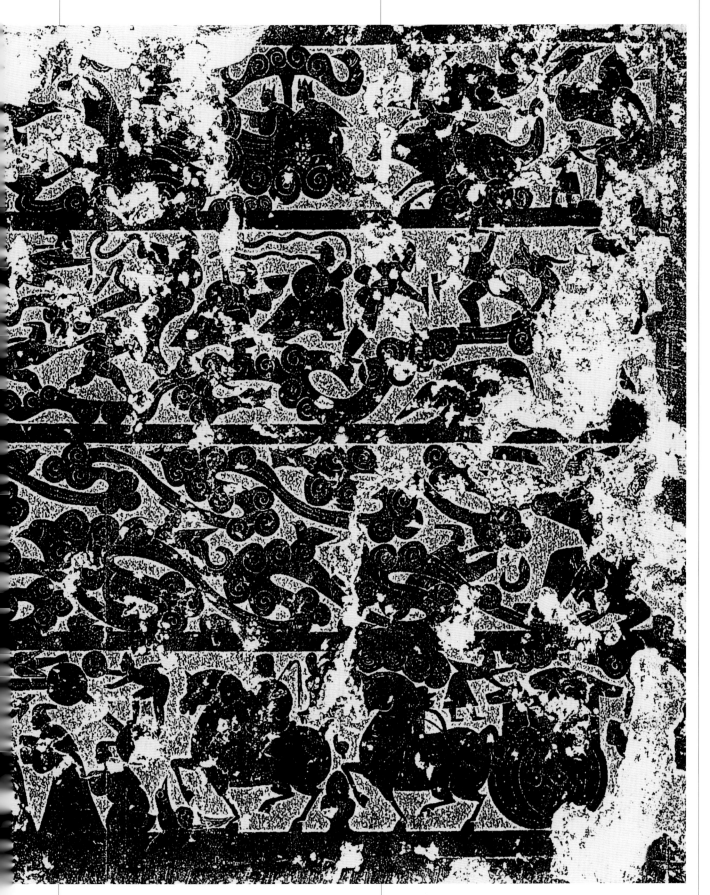

【 畫 像 石 】

東漢（公元二二五年至公元二二〇年）

管仲射小白　荆軻刺秦王畫像石
東漢
出于山東嘉祥縣武宅山村武氏祠。
高97、寬69厘米。

畫面分三層。第一層刻管仲箭射公子小白（齊桓公）
的故事，第二層刻荆軻刺秦王的故事，第三層刻伏羲
和女媧像。
現藏山東省嘉祥縣武氏祠文物管理所。

趙宣子捨食靈輒畫像石

東漢

出于山東嘉祥縣武宅山村武氏祠。

高96、寬78厘米。

畫面分三層。第一層刻隋珠故事，第二層刻趙宣子捨
食靈輒故事，第三層刻二人執錘、斧擊打一體纏巨蛇
的跪伏者。

現藏山東省嘉祥縣武氏祠文物管理所。

樓闕人物　車騎出行畫像石

東漢

出于山東嘉祥縣武宅山村武氏祠。

高72、寬165厘米。

畫分上下兩層。上層爲樓闕、人物拜謁和射鳥等場景，

下層爲車騎出行圖。

現藏山東省嘉祥縣武氏祠文物管理所。

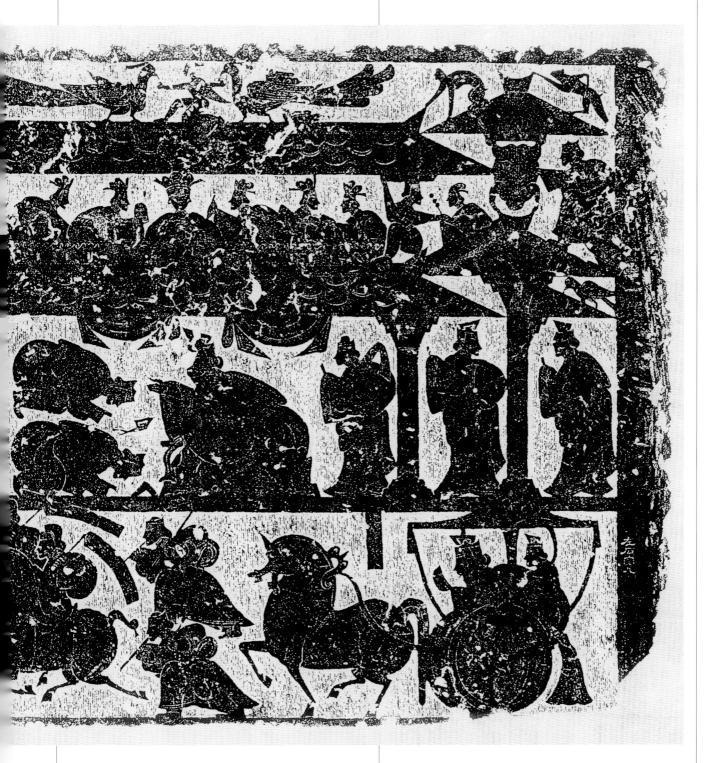

東漢（公元二五年至公元二二〇年）

升仙畫像石

東漢

出于山東嘉祥縣武宅山
村武氏祠。

高140、寬167.5厘米。

畫面分爲兩層。上層爲
仙人出行圖；下層有仙
人、雲氣、東王公、西
王母和仙車等，一闕旁
有圓形的墳冢。

現藏山東省嘉祥縣武氏
祠文物管理所。

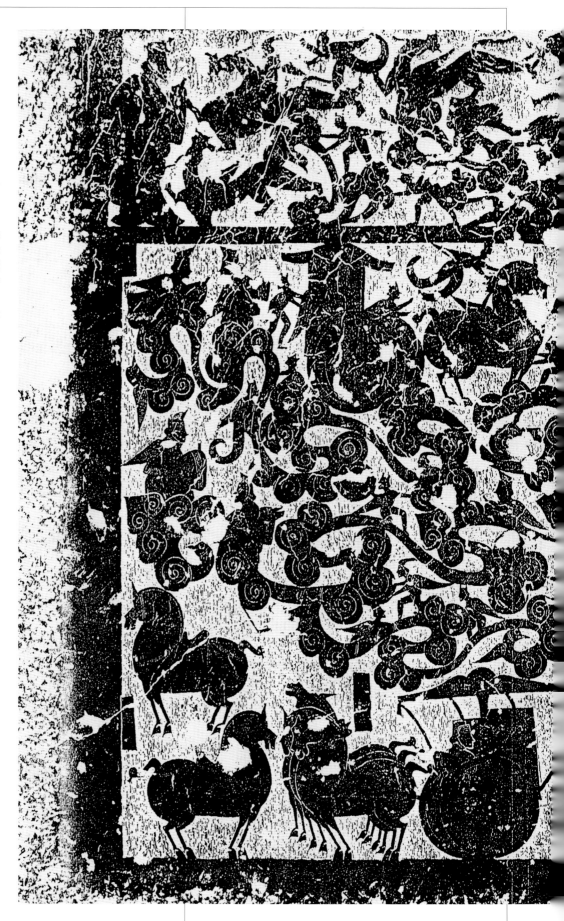

羽人 雷神畫像石

東漢

出于山東嘉祥縣武宅山村武氏祠。

高129、寬169厘米。

畫面分四層。第一層刻羽人、翼龍和女神駕雲車，第二層刻雷神施威，第三層刻神人、靈異怪獸，第四層刻力士背虎、負牛、拔樹、擒牛和拽猪等。

現藏山東省嘉祥縣武氏祠文物管理所。

東漢（公元二五年至公元二二〇年）

車騎出行　孔子畫像石

東漢

山東嘉祥縣武宅山村出土。

高208、寬118厘米。

四周刻六重邊框。畫面上層爲車騎出行圖，二層爲孔子
與項橐故事，三層爲鋪首銜環、常青樹、魚和虎等物，
四層爲隸書銘文。

現藏山東省嘉祥縣武氏祠文物管理所。

人物　怪獸　車馬畫像石

東漢

山東嘉祥縣武宅山村出土。

高208、寬118厘米。

四周飾五重邊框。中間五層分別爲拜會圖、人物、怪獸
圖、迎候圖和車馬出行圖。

現藏山東省嘉祥縣武氏祠文物管理所。

樓閣　拜謁　騎士畫像石
東漢
山東嘉祥縣武宅山村出土。
高165、寬71厘米。
畫面上層爲一樓閣，内有人物端坐，外有馬匹和侍
者；二層爲拜謁圖；三層爲荷戟騎士。
現藏山東省嘉祥縣武氏祠文物管理所。

孔子見老子畫像石
東漢
山東嘉祥縣武宅山村出土。
高208、寬118厘米。
四周刻五重邊框。畫面上層爲孔子見老子故事，二、五
層爲車騎出行圖，三層爲拜會圖，四層爲比武圖。
現藏山東省嘉祥縣武氏祠文物管理所。

周公輔成王畫像石

東漢

山東嘉祥縣武宅山村出土。

高165、寬71厘米。

畫面上層爲雙層樓閣，樓上兩人端坐，樓外有侍者和馬匹；中層爲周公輔成王故事；下層爲一虎。

現藏山東省嘉祥縣武氏祠文物管理所。

女媧畫像石

東漢

山東嘉祥縣武宅山村出土。

高208、寬70厘米。

外飾四重邊框，内刻女媧、龍及捧盾人物圖。中間刻隸書"武氏祠"三字，爲後人補刻。

現藏山東省嘉祥縣武氏祠文物管理所。

龍虎畫像石

東漢

山東嘉祥縣武宅山村出土。

高165、寬40厘米。

外刻兩重邊框，內刻一龍一虎。

現藏山東省嘉祥縣武氏祠文物管理所。

人物 龍虎畫像石

東漢

山東嘉祥縣武宅山村出土。

高165、寬40厘米。

四周飾兩重邊框。畫面上層一人捧盾站立，下層刻一龍一虎。

現藏山東省嘉祥縣武氏祠文物管理所。

奔鹿 人物牽犬畫像石
東漢
山東嘉祥縣武宅山村出土。
高38、寬78厘米。
上部飾連弧紋，中間及兩側飾柱斗。左欄一鹿奔跑，右欄一人牽犬。
現藏山東省嘉祥縣武氏祠文物管理所。

朱雀 玄武 飛鳥畫像石
東漢
山東嘉祥縣武宅山村出土。
高38、寬78厘米。
上部飾連弧紋，中間及兩側飾柱斗。左欄刻一玄武和飛鳥，右欄刻朱雀和飛鳥。
現藏山東省嘉祥縣武氏祠文物管理所。

虎 鹿 熊畫像石

東漢

山東嘉祥縣武宅山村出土。

高38、寬78厘米。

畫面中間及兩側刻柱斗，左欄一虎，右欄一鹿一熊。

現藏山東省嘉祥縣武氏祠文物管理所。

雙虎畫像石

東漢

山東嘉祥縣武宅山村出土。

高38、寬78厘米。

畫面中間及兩側刻柱斗，間刻背向相對的兩虎。

現藏山東省嘉祥縣武氏祠文物管理所。

東漢（公元二五年至公元二二〇年）

龍紋畫像石

東漢

山東嘉祥縣武宅山村出土。

高38、寬70厘米。

三面邊欄，中間一龍。

現藏山東省嘉祥縣武氏祠文物管理所。

白虎畫像石

東漢

山東嘉祥縣武宅山村出土。

高38、寬70厘米。

三面邊欄，中間一虎。

現藏山東省嘉祥縣武氏祠文物管理所。

群鳥畫像石

東漢

山東嘉祥縣武宅山村出土。

高38、寬70厘米。

上、左、右三面飾連弧紋，中間
刻一隻大鳥，四周刻六隻小鳥。

現藏山東省嘉祥縣武氏祠文物管
理所。

魚 蓮紋 羽人畫像石

東漢

山東嘉祥縣滿硐鄉宋山村出土。

高68、寬68厘米。

畫面表現變形八瓣蓮紋，四周刻
魚紋及人首蛇身雙翼神人，旁有
題記。

現藏山東省石刻藝術博物館。

東漢（公元二五年至公元二二○年）

樓閣　人物　車騎出行畫像石

東漢

山東嘉祥縣滿硐鄉宋山村出土。

高73、寬141厘米。

畫面分兩層。上層爲樓閣、人物拜謁等場景，下層爲車騎
出行圖。

現藏山東省石刻藝術博物館。

西王母 歷史故事 車騎畫像石

東漢

山東嘉祥縣滿硐鄉宋山村出土。

高73、寬68厘米。

畫面分爲四層。 一層中坐西王母，左右爲羽人和蟾
蜍、玉兔；二層爲周公輔成王故事；三層爲晉驪姬讒
害太子申生故事；四層爲車騎出行。

現藏山東省石刻藝術博物館。

西王母 歷史故事 車騎出行畫像石

東漢

山東嘉祥縣滿硐鄉宋山村出土。

高69、寬64厘米。

畫面分爲四層。一層爲西王母及仙人，二層爲季札挂
劍故事，三層爲二桃殺三士故事，四層爲車騎出行。
現藏山東省石刻藝術博物館。

西王母　車騎出行畫像石

東漢

山東嘉祥縣滿硐鄉宋山村出土。

高69、寬67厘米。

畫面分爲三層。上層爲西王母憑几端坐，周圍仙
人圍繞；中層左側爲一房屋，屋中主人端坐，屋外
有若干人拜謁；下層爲車騎出行圖。

現藏山東省石刻藝術博物館。

東王公　樂舞　庖厨　車騎畫像石

東漢

山東嘉祥縣滿硐鄉宋山村出土。

高73、寬68厘米。

畫面分爲四層。一層中坐東王公，左右爲羽人及人首鳥
身侍者；二層爲撫琴舞蹈者；三層爲庖厨圖；四層爲車
馬出行圖。

現藏山東省石刻藝術博物館。

樓闕　人物　車騎出行畫像石

東漢

山東嘉祥縣滿硐鄉宋山村出土。

高71、寬120厘米。

畫面分爲兩層。上層爲樓闕，樓上兩人端坐，兩側有奴僕，樓下主人執便面坐榻上，前有兩人跪拜，身後有侍者，屋外樹下拴一匹駿馬，另有一人正引弓射鳥；下層爲車騎出行圖。

現藏山東省石刻藝術博物館。

東王公　六博游戲　宴飲畫像石

東漢

山東嘉祥縣滿硐鄉宋山村出土。

高26、寬134厘米。

畫面左半部刻東王公、朱雀、虎和飛翔的羽人，右半部刻六博游戲和飲酒場面。

現藏山東省石刻藝術博物館。

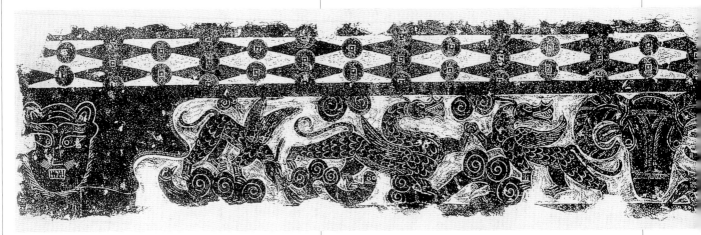

羽人　怪獸畫像石

東漢

山東嘉祥縣滿硐鄉宋山村出土。

高24、寬188厘米。

畫面正中刻一羊頭，左刻三條雙翼龍，右刻一龍一人，龍右側爲雙人首怪鳥，其右又刻一龍一羽人，羽人右側刻怪獸飛騰，其下爲一長髮仙人。畫面兩端爲人面圖案。

現藏山東省石刻藝術博物館。

胡漢交戰　戲蛇畫像石

東漢

山東嘉祥縣滿硐鄉宋山村出土。

高115、寬65厘米。

畫面分爲三層。上層爲胡漢交戰，中層爲獻俘圖，下層爲戲蛇圖。

現藏山東省石刻藝術博物館。

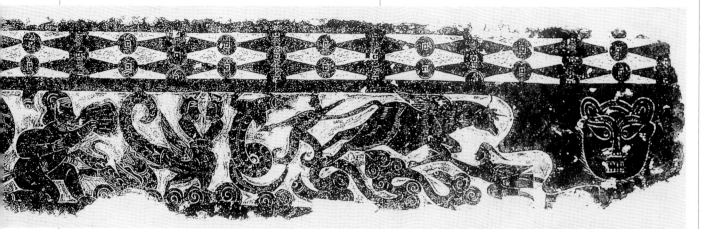

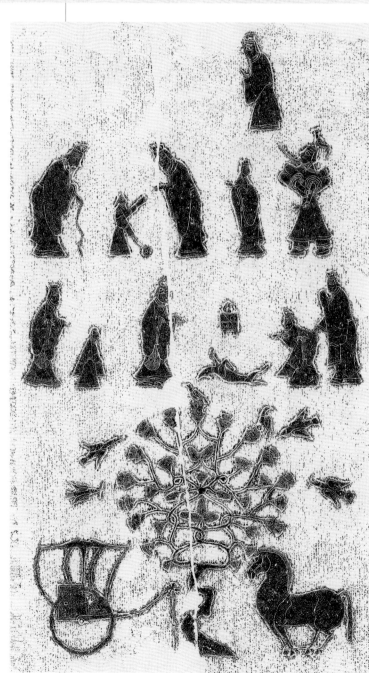

孔子見老子　驪姬故事畫像石
東漢
山東嘉祥縣滿硐鄉宋山村出土。
高114、寬67厘米。
畫面分為四層。一層為一持笏人物，二層為孔
子見老子圖，三層為驪姬故事，四層為樹下一
馬一車。
現藏山東省石刻藝術博物館。

九頭人面獸 周公輔成王畫像石

東漢

山東嘉祥縣紙坊鎮敬老院出土。

高111、寬50厘米。

畫面分爲三層。上層爲九頭人面怪獸，中層爲周公輔成
王故事，下層爲一拔劍武士。

現藏山東省嘉祥縣武氏祠文物管理所。

伏羲 女媧 孔子見老子 升鼎畫像石

東漢

山東嘉祥縣紙坊鎮敬老院出土。

高111、寬45厘米。

畫面分爲三層。上層中間爲高禖，闊嘴咧腮，頭戴山
字冠，一手抱伏羲，一手抱女媧；中層爲孔子見老子
圖；下層爲秦王泗水撈鼎。

現藏山東省嘉祥縣武氏祠文物管理所。

西王母 仙車 公孫子都暗射潁考叔 狩獵 畫像石

東漢
山東嘉祥縣紙坊鎮敬老院出土。
高87、寬65厘米。

畫面分爲五層。上層爲西王母與進獻跽拜人物，二層爲兩輛仙車，三層爲公孫子都暗射潁考叔，四層爲車騎出行圖，五層爲狩獵圖。
現藏山東省嘉祥縣武氏祠文物管理所。

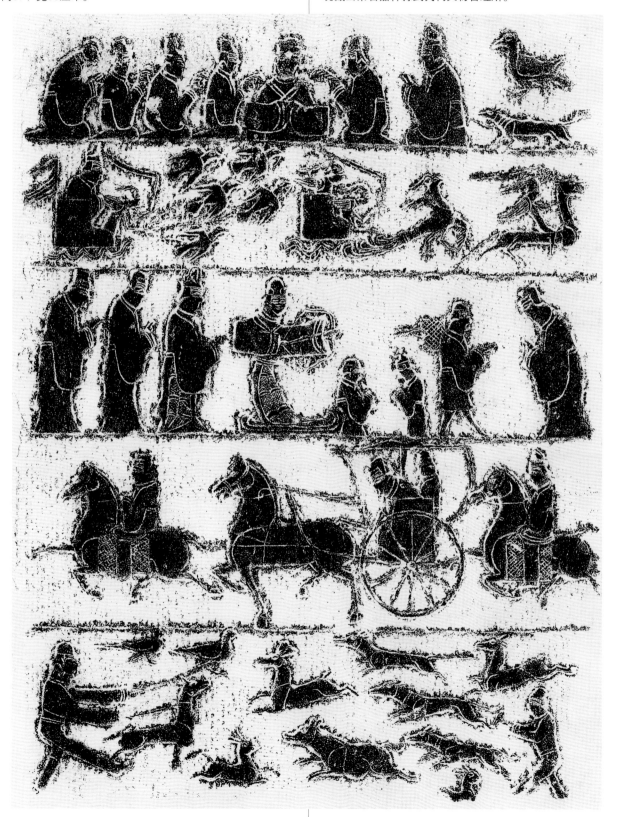

東王公 演樂 庖厨 車騎出行圖畫像石

東漢

山東嘉祥縣南武山出土。

高69、寬68厘米。

畫面分爲四層。一層爲東王公與仙人神獸，二層爲演樂
人物，三層爲庖厨圖，四層爲車騎出行圖。

現藏山東省嘉祥縣武氏祠文物管理所。

九頭人面獸　車騎出行畫像石

東漢

山東嘉祥縣花林村出土。

高74、寬80厘米。

畫面分爲兩層。上層中間刻九頭人面獸蹲坐，右邊刻高禖懷抱伏羲、女媧，左邊刻首尾各生一人頭的怪獸和兩隻肩生兩人頭的怪獸；下層刻軺車兩輛。

現藏山東省嘉祥縣武氏祠文物管理所。

樓闕　人物　車騎畫像石

東漢

山東嘉祥縣吳家莊出土。

高67.5、寬99.5厘米。

畫面分爲兩層。上層爲一樓二闕，樓上正堂坐四人，堂外侍者四人，樓下主人憑几而坐，身後一侍者，面前一跪者，另有三人躬身拜謁。樓外右側一人求見，二人執戟守衛；樓闕上有鳳鳥。下層爲雙闕，正面駛來駟馬軺車一輛，騎衛四人。

現藏山東省博物館。

東漢（公元二五年至公元二二○年）

樂舞　建鼓　庖厨畫像石
東漢
山東嘉祥縣五老窪出土。
高63、寬59厘米。
畫面分爲三層。上層爲五樂手
奏樂，中層爲建鼓舞，下層爲
庖厨。
現藏山東省石刻藝術博物館。

樓堂　人物　車騎畫像石
東漢
山東嘉祥縣五老窪出土。
高69、寬104厘米。
畫面分爲兩層。上層爲一兩層樓
閣，樓上四人端坐，樓外平臺
上左右各一人執板，面向樓内，
樓下主人面左而坐，身後有持棒
衛卒及躬身求見者，面前一人跪
拜，二人躬身，樓頂上有獼猴；
下層爲車騎一行四人駛出闕門，
門旁有躬身送行者。
現藏山東省石刻藝術博物館。

升鼎 孔子見老子 周公輔成王畫像石

東漢

山東嘉祥縣五老窪出土。

高125、寬78厘米。

畫面分爲四層。一層爲升鼎；二層爲孔子見老子；三層爲周公輔成王；四層爲中間二長者對立，拱手交談，後面從者皆恭立。

現藏山東省石刻藝術博物館。

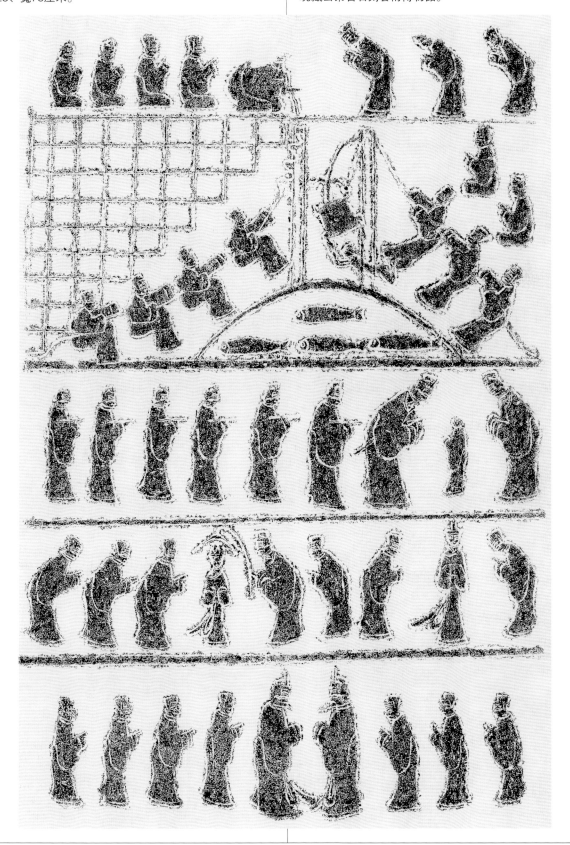

風伯 胡漢交戰畫像石

東漢

山東嘉祥縣五老窪出土。

高123、寬82厘米。

畫面分爲三層。上層爲風伯口吹勁風，房屋被吹得柱折頂傾，屋內三人驚慌失措；中層爲二車和一步卒；下層爲胡漢交戰場面。

現藏山東省石刻藝術博物館。

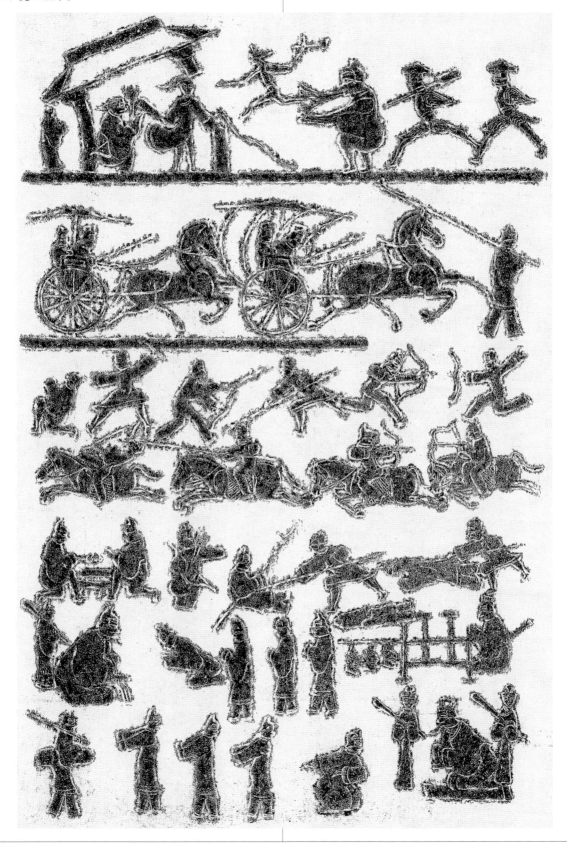

周公輔成王　車騎　升鼎畫像石

東漢

山東嘉祥縣五老窪出土。

高93、寬83厘米。

畫面分爲三層。上層爲周公輔成王，中層爲車騎出
行圖，下層爲泗水升鼎圖。

現藏山東省石刻藝術博物館。

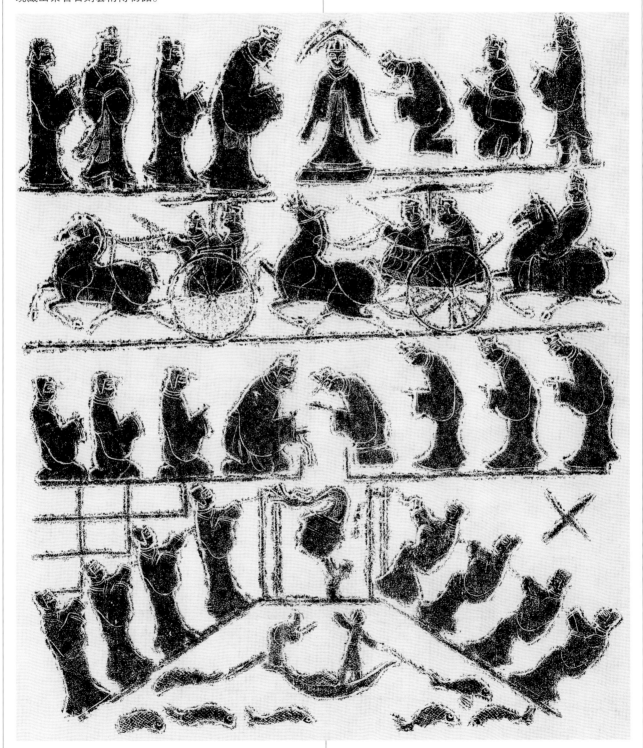

製車輪畫像石

東漢

山東嘉祥縣洪山村出土。

高57、寬94厘米。

畫面分爲三層。上層爲西王母；下層爲格鬥與跪拜；中層右側三人跪坐，左側爲製車輪，一人執斧製作輪輞，一人背負嬰兒，手執輪輞，一人操作，一人佩刀而立。

現藏中國國家博物館。

孔子見老子畫像石

東漢

山東嘉祥縣齊山村出土。

高56、長285厘米。

畫面分爲三層。第一層爲捲雲紋、鳥獸和羽人。第二層爲孔子見老子，刻一列三十人，左起第八人手扶曲杖右向立，榜題"老子也"，第十人左向立，榜題"孔子也"；其他榜題有顏回、子路和子張等。第三層爲車騎出行圖。

現藏山東省石刻藝術博物館。

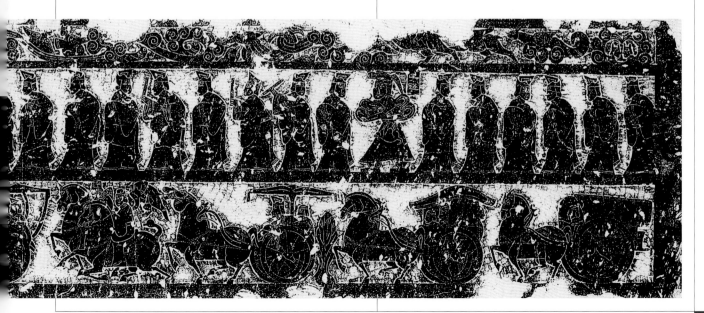